OP ZOEK NAAR BEER

Lees ook van Hannah Gold

De laatste beer
De verdwenen walvis

HANNAH GOLD

OP ZOEK NAAR BEER

Met illustraties van Levi Pinfold

Vertaald uit het Engels
door Sandra C. Hessels

VOLT

Eerste druk, 2024

Originally published in the English language in Great Britain by HarperCollins Children's Books, a division of HarperCollinsPublishers Ltd., under the title:

Binnenwerk Zeno

ISBN 978 90 214 8979 7 / NUR 283
www.uitgeverijvolt.nl

Voor iedereen die wenste dat April en Beer elkaar
weer zouden zien.
Dit boek is voor jullie.

HOLEN VAN DE
IJSBEREN

IJS-
GROT

^COLES-
BAAI

PELSJAGERS-
HUT

HUT

LONGYEARBYEN

TROMSØ
NOORWEGEN
916 KM

NOORDPOOL
1046 KM

SPITSBERGEN

N

W   O

Z

BERENEILAND
383 KM

HOOFDSTUK EEN

DE FOTO

P recies zeventien maanden geleden was April
Wood thuisgekomen van haar avontuur op
Bereneiland, en nu zat ze in kleermakerszit in de
achtertuin te luisteren naar het geluid van stilte.
Sommige mensen zouden zeggen dat stilte geen
geluid kan maken, maar April wist wel beter.

Ze wist dat de stilte allerlei boodschappen met
zich meebracht, vooral als je eenmaal had geleerd
hoe je écht moest luisteren. Bovendien was ze veel

liever buiten dan binnen. Hierbuiten was het al met al een stuk vriendelijker.

Zeker tegenwoordig.

Toen April en haar vader net waren teruggekeerd uit het noordpoolgebied, was het net alsof ze in het diepe van een heel koud zwembad doken. De constante stroom geluiden, de rookpluimen en de oneindige stank van de uitlaatgassen van auto's en motoren waren een enorme cultuurschok geweest. En dan de ménsen. Er waren zoveel mensen overal – mensen die altijd haast hadden en druk in de weer waren, elke jachtige minuut van de dag.

Papa had dan ook besloten om zo snel mogelijk naar de kust te verhuizen, en binnen een maand hadden ze hun hoge en sombere stadshuis verkocht en een nieuw thuis gevonden in de buurt van Oma Appel. Het was niet helemaal het soort huis dat April zou hebben uitgekozen. Stirling Road nummer 34 was een van een rijtje identieke huizen van rode baksteen. Ze hadden allemaal een gemaaid gazonnetje in de achtertuin en een pasgeverfd hek aan de voorkant. In tegenstelling tot hun oude huis – en al helemaal vergeleken met het houten huis op Bereneiland – bestond deze woning uit

allemaal harde rechte hoeken en glanzende, glim-
mende werkbladen en oppervlakken. Er was niet
eens een open haard om broodjes in te roosteren.
Hier stond zo'n elektrische haard met nephout-
blokken die rood opgloeiden als je een schakelaar
omzette. Maar papa leek gelukkig. Sterker nog, hij
was gelukkiger dan April hem in jaren had meegemaakt en, zoals hij steeds weer herhaalde, dit huis
was eenvoudiger schoon te houden.

Maar dat betekende nog niet dat ze binnen
moest blijven, vooral niet op een avond zoals deze,
wanneer de ondergaande zon de hemel gouden
strepen gaf en het briesje als een magische fluiste-
ring door de bomen gleed.

'Wat mooi,' zei ze hardop.

Dat was ook iets wat haar sinds het noordpoolavontuur was bijgebleven: de gewoonte om dingen hardop tegen zichzelf te zeggen. April vond
het niet raar. Dat kwam pas toen andere mensen
haar vreemd aankeken.

Gelukkig was het vrijdag en zat de schoolweek
er weer op. Nu kon ze doen wat ze zelf wilde. Ze
woonden hier pas een paar maanden en April had
het gevoel dat ze een vreemde eend in de bijt was
nog niet van zich af kunnen zetten.

Het hielp ook niet dat haar klasgenoten tijdens haar spreekbeurt over de leefomstandigheden van ijsberen – waar ze héél lang aan had gewerkt – voornamelijk hadden zitten geeuwen. Toen April iedereen had willen wakker schudden met haar allerbeste berenbrul (waar ze heel trots op was) en vervolgens wilde laten zien dat ze pindakaas vanaf een afstand van anderhalve kilometer kon ruiken, had de klas alleen maar gelachen. Daarna werden er achter in het lokaal berengeluiden naar haar gemaakt. Alsof dat nog niet gênant genoeg was had de leerkracht haar even apart genomen en gezegd dat dierenimitaties maar beter buiten het klaslokaal konden blijven.

April had zo beleefd en duidelijk mogelijk geprobeerd uit te leggen dat het helemaal geen imitatie wás. Ze wilde iedereen vertellen over de problemen in het noordpoolgebied, precies zoals Lise van het Poolinstituut had gezegd. Maar haar verhaal haalde niets uit. Vanaf dat moment stond ze bekend als het Berenmeisje, en als je keek naar het gegrinnik dat daarbij hoorde, wist ze niet zeker of het als compliment bedoeld was.

Het artikel in de plaatselijke krant had ook al niet geholpen. Op een of andere manier had een verslaggever gehoord van de reis die April en haar vader naar de Noordpool hadden ondernomen, en aangezien er die week verder weinig te beleven viel, had hij hun verhaal willen vertellen. Papa was daar niet zo'n voorstander van geweest, maar April juist wel. Ze had de kans met beide handen aangegrepen, want zo kon ze iedereen vertellen dat de ijsberen hulp nodig hadden. Dit was een mooie manier om de mensen te waarschuwen voor de snelheid waarmee de ijskappen smelten! Maar het artikel bevatte allerlei fouten, zelfs Aprils naam klopte niet! Alsof ze eruitzag als een Alice, zeg! En het ergst van alles was nog wel dat het artikel niet noemde dat zíj Beer had gered, maar leek te suggereren dat de kapitein van het schip dat allemaal voor elkaar had gekregen.

April was heus niet op zoek naar complimenten of medailles of stickers, of zo. Ze wilde alleen dat iemand haar eens serieus nam. Vooral nu de tijd begon te dringen voor het welzijn van de planeet.

'Als ik écht een Berenmeisje was,' mompelde ze, 'dan zouden de mensen wel naar me luisteren! Dan zouden ze dingen veranderen!'

Een kraai die op het hekje zat, kraste instemmend terug.

April zuchtte. Het was februari en ondanks een paar dappere narcissen die al bloeiden, voerde de lucht een bittere kou met zich mee. Papa zou haar vast gauw naar binnen roepen, bang dat ze onderkoeld zou raken of een andere levensbedreigende aandoening zou oplopen. Sinds ze terug waren van de Noordpool bekommerde hij zich constant om haar, en was hij de hele tijd bang dat haar iets heel gevaarlijks zou overkomen. Ze kon hem door het keukenraam al naar haar zien zoeken, dus ze had hooguit nog een paar minuten.

Voorzichtig pakte ze een foto uit haar borstzakje. Dat was de veiligste plek die ze kon bedenken, en wat nog belangrijker was: zo droeg ze de foto ook altijd vlak bij haar hart. Het was niet zo'n foto die de meeste mensen bij zich hadden, van een vader of moeder of broers en zussen of grootouders. Dit was een foto van haar en een volwassen mannetjesijsbeer – dicht tegen elkaar aan gedrukt in een omhelzing die de meeste mensen ongeloofwaardig zouden vinden. Het was uiteraard een foto van haar en Beer, en die was haar kostbaarste bezit. Hij was gemaakt op de kade in Longyearbyen,

op Spitsbergen, met het zonlicht achter hen. Ze leunden tegen elkaar aan terwijl de flitser van de camera hun laatste afscheid vastlegde. Ze stonden zo stevig tegen elkaar dat het lastig te zien was waar Beer ophield en het meisje begon.

April kon nog steeds niet naar de foto kijken zonder weer zo'n afschuwelijke brok in haar keel te krijgen.

'Hallo Beer,' fluisterde ze. Ze hoorde haar stem licht trillen.

April wist niet hoe goed het geheugen van een ijsbeer was en of Beer nog wel herinneringen aan haar had. In elk geval niet op dezelfde manier als zij nog vaak aan hem dacht. Ze zou hem nooit vergeten. Ze zou haar hele leven aan hem blijven denken. En dan nog een triljoen jaar meer.

Hij zou vast al gewend zijn aan zijn nieuwe leven. Papa zei steeds dat zij ook weer verder moest met haar leven. En het was heus niet zo dat ze het niet had geprobeerd. Ze deed elke dag weer haar best om het leven te leiden dat papa, Oma Appel en alle anderen van haar verwachtten – een heel normaal mensenbestaan. Voor sommige mensen was dat misschien ook genoeg. Maar zo af en toe borrelde er ineens een herinnering in Aprils gedachten naar boven – dat kriebelige gevoel van Beers snorharen op haar gezicht, de plotselinge aanraking van zijn natte neus, en het levendigst van alle herinneringen waren die warme, chocoladebruine ogen van hem en de manier waarop hij altijd recht in haar wezen leek te kunnen kijken.

'Ik mis je,' zei ze zacht genoeg zodat papa haar niet zou kunnen horen door het open keukenraam. 'Ik mis je echt heel erg.'

Ze verwachtte geen antwoord. De Noordpool was tenslotte heel ver hiervandaan en April had sinds hun laatste dag samen niets meer van Beer gehoord. Beer kon geen brieven schrijven of de telefoon pakken, en ze was veel te ver weg om hem te horen brullen. Maar hopelijk had hij nieuwe ijsbeervrienden gemaakt of zelfs een vrouwtje gevonden. Ze hoopte dat hij in elk geval gelukkig was.

'Want dat was natuurlijk de hele reden om je naar Spitsbergen terug te brengen, hè?' fluisterde ze. 'Ik zou alleen willen... Ik zou zo graag zeker willen weten dat alles goed gaat met je.'

April snoof de stilte op en hoopte dat ze ergens in die avondhemel het antwoord zou vinden waarnaar ze op zoek was. Ze spitste haar oren en hoorde het gefluister van de zilveren berk, van een hond die twee straten verderop blafte en in de verte het ruisen van de zee. Maar wat ze niet hoorde, was...

'APRIL!' Papa gooide de achterdeur met een zwaai open en er viel een plasje warm, geel licht naar buiten. 'Wat doe je daarbuiten? Straks vat je nog kou en word je doodziek!'

'Ik kom al,' zei ze, en ze krabbelde met tegenzin overeind. De stilte van de avond was doorbroken. Ze stopte de foto terug in haar borstzakje en ritste dat goed dicht. Terwijl de kraai verderging met krassen, liep ze achter haar vader aan naar binnen.

HOOFDSTUK TWEE

VRIJDAGAVOND

Zorgvuldig veegde April haar voeten op de mat voor ze haar schoenen uittrok en in het schoenenkastje zette. Terwijl ze dat deed ving ze een felkleurige glimp op van iets wat achter in de kast stond. Haar reservepaar regenbooglaarzen! Ze waren inmiddels te klein voor haar en ze had ze waarschijnlijk allang een keer naar een tweedehandskledingwinkel moeten brengen, maar toch had ze zich daar nog niet toe kunnen zetten. Dit extra paar laarzen was een van de weinige dingen die ze nog had van haar tijd op Bereneiland, en als ze haar neus er vlakbij hield, rook ze nog steeds die scherpe noordpoollucht, hoe zwak ook. Het liefst zou ze die geur nu ook even opsnuiven, maar haar vader riep haar opnieuw.

Toen ze de woonkamer binnenliep, zag ze dat de hele vloer bezaaid lag met langspeelplaten, als een tapijt van vinyl. 'Ik was op zoek naar... Ah! Gevonden.' Hij raapte de elpee triomfantelijk op. 'Heb je een leuke dag gehad?'

'Ja hoor,' zei ze terwijl ze haar vingers achter haar rug kruiste om het leugentje.

'Goed zo,' zei papa, en hij schonk haar een scheve grijns. 'Grote meid. Ik wist wel dat je hier gelukkig zou worden.'

April kromp ineen. Dit was het derde semester op haar nieuwe school en ze durfde hem nog steeds niet te vertellen hoe moeilijk het voor haar was om echte vrienden te maken. Om de een of andere raadselachtige reden was het een stuk lastiger om mensenvrienden te vinden dan ijsbeervrienden.

'Hoe was jouw dag?' vroeg ze dus maar.

Zoals hij had beloofd, had papa een baan aangenomen op de plaatselijke universiteit, waar hij werkte aan milieuvriendelijke, afbreekbare alternatieven voor wegwerpplastic. Hij wilde net antwoord geven op haar vraag toen de deurbel ging.

'Ah,' zei hij, en er verscheen een blos op zijn wangen. 'Dat zal Maria zijn. Ik heb haar uitgenodigd voor het avondeten. Ik… Ik hoop dat je dat niet erg vindt? Ik weet dat we gewoonlijk met z'n tweetjes zijn…'

Hij keek haar zo ernstig aan dat April knikte. Ze zou het nooit hardop toegeven, maar ze was wel een klein beetje teleurgesteld. Vrijdagavond was hún avond. De enige avond in de week dat papa eerder ophield met werken, zodat ze wat meer tijd sámen hadden. Ze had gehoopt dat ze vandaag dat vegan restaurant in de stad zouden proberen, of misschien een strandwandeling konden maken. Alleen zij, met z'n tweeën.

Papa bleef nog even voor de spiegel in de gang staan, kamde met een hand door zijn warrige haar en trok zijn kraag recht voor hij de deur opende.

'Maria!' riep hij uit. 'Je ziet er… goed uit! En je hebt Chester meegebracht. Mooi zo, fijn! April is dol op Chester, nietwaar?'

April was absoluut dol op Chester. Wie zou dat

niet zijn? Hij was een cockapoo met honingkleurige ogen, fluweelzachte oren en die heerlijke hondengeur die April onweerstaanbaar vond.

'Edmund!' Maria kwam in een wolk van kleur en een zweem van saffraan de gang binnen. 'Ik heb paella meegebracht voor het avondeten.'

Maria nam vaker eten mee. Ze kwam uit Valencia in Spanje en vond het heerlijk om voor anderen te koken. Of ze was papa's kookkunsten gewoon beu. April en haar vader hadden allebei de gewoonte om uit blik te eten niet meer afgeleerd, iets wat Oma Appel ook walgelijk vond. Sommige gewoontes moesten vooral op de Noordpool blijven waar ze thuishoorden, had ze gezegd.

Papa en Maria deden dat ongemakkelijke volwassenending waarbij ze elkaar omhelsden zonder ook echt te omhelzen, en daarna hingen hun vrije armen nutteloos langs hun zij. Ze hadden allebei zo'n suffe grijns op hun gezicht die boekdelen sprak. Toen pas leek Maria April te zien staan.

'O, hallo!' zei ze met een brede glimlach terwijl ze haar sjaal met rode stippen afdeed.

April knikte terug. Het was niet dat ze Maria niet aardig vond. Ze had toch juist gewenst dat papa een vriendin zou krijgen? Het lag bovendien niet in haar aard om iemand niet te mogen, vooral als diegene van dieren hield. Maar het was gewoon een beetje raar wanneer jouw schoolhoofd ook je vaders nieuwe vriendin was. Zo had papa haar leren kennen, toen hij April afzette bij het hek van haar nieuwe school. April wist ook niet zo goed of ze haar nu mevrouw Puro moest noemen of Maria, dus deed ze er meestal alles aan om beide te vermijden.

Zoals altijd hielp Chester de ongemakkelijke stiltes te verbreken. Met een hoopvolle blik in zijn ogen sjokte hij op April af. 'Hoi, jochie,' fluisterde ze terwijl Maria achter papa aan de woonkamer in liep.

'Ik heb daarnet een muziekstuk gevonden dat ik je graag wil laten horen,' zei papa, en hij zwaaide met een van zijn platen in de lucht alsof het een trofee was. 'Ik denk dat je het geweldig zult vinden.'

Hij legde de elpee op de platenspeler, dezelfde die met hen was meegereisd naar de Noordpool en weer terug, en enkele tellen later klonken de tonen van Mozarts 'Voi Che Sapete' uit *De Bruiloft van Figaro* in de kamer. Het was een vrolijk, bijna zwierig muziekstuk, gecomponeerd voor een lach, een zonnige dag en om bij te huppelen.

Papa, die weinig aanleg had om te dansen, had les genomen en nam Maria nu in zijn armen om met haar door dat deel van de kamer te walsen waar de grond nog leeg was. De paella stond vergeten op een bijzettafeltje en April keek vanuit de deuropening toe met een ongemakkelijk gevoel in haar borst. Een soort steek die ze niet echt begreep, maar waarover ze zich wel schuldig voelde.

'Wat is er, mijn lieve kind?' vroeg papa tijdens het avondeten, toen ze met z'n drieën rond de paellaschotel zaten. 'Zo te zien zit je iets dwars.'

Nog niet zo heel lang geleden zou haar vader haar humeur niet eens hebben geregistreerd. Zelfs niet als April huppelend en met radslagen de kamer binnen was gekomen, luidkeels een lied brullend.

Papa was nog steeds niet de meest oplettende persoon ter wereld, maar hij was wel veranderd. En ook al had ze zich die verandering – en de vriendin – gewenst, het was uiteindelijk zo plotseling en snel gegaan dat ze zich overrompeld voelde. Het was een verwarrend idee, alsof papa's leven dapper was voortgeschreden, terwijl haar voeten nog klem zaten ergens in de stevige, dikke ijslaag van de Noordpool.

Papa praatte niet eens graag over wat ze daar hadden meegemaakt. Ja, hij liet zijn collega's op het werk wel foto's zien en ze had hem ooit eens horen opscheppen dat leven op de Noordpool een mens helemaal van binnenuit veranderde. Maar over hun tijd op Bereneiland – het avontuur dat zij daar samen hadden beleefd – sprak hij nauwelijks. April ging er maar van uit dat het kwam doordat hij haar bijna was kwijtgeraakt. En hij zich schuldig voelde omdat hij haar in eerste instantie niet had geloofd over haar vriendschap met Beer.

Al die dingen bij elkaar maakten het des te moeilijker om toe te geven dat ze de Noordpool miste, vooral waar Maria bij was. Voor zover April wist, kende die maar een heel oppervlakkige versie van wat er daar allemaal was gebeurd. En zelfs al zou ze er wat makkelijker over kunnen praten, dan nog moest April er eerst de juiste woorden voor vinden, en dat was gewoon onmogelijk. Hoe kon April ooit onder woorden brengen hoe erg ze Beer miste? Het was niet alleen een gevoel in haar hart, maar iets rauws wat zijn weerklank vond in haar diepste binnenste.

Het was gewoon woordeloos.

Alsof ze een deel van zichzelf had achtergelaten toen ze de Noordpool verliet. Geen handschoen of regenlaars of iets tastbaars. Maar het deel van haar dat haar April maakte. Iets als het geluid van haar lach dat over het land galmde, of de grijns op haar gezicht als ze zich vastgreep aan Beers vacht toen ze de berg beklommen, of dat diepgewortelde gevoel in haar hart wanneer ze in Beers ogen keek en hij in de hare.

April besefte dat haar vader haar nog steeds aankeek en op antwoord wachtte. 'Nee, niks,' zei ze. Als Maria er niet bij was geweest, had hij misschien langer aangedrongen, maar nu raakte hij afgeleid en liet hij het erbij.

Na het eten speelden ze met z'n drieën een spelletje monopoly. Maria koos de hond als pion, April de boot en papa stond erop een anijssnoepje te gebruiken dat hij halverwege het spel opat.

Algauw was April door al haar geld heen, maar het kon haar weinig schelen. Als zij later groot was en veel geld had, zou ze er veel meer mee doen dan duffe huizen kopen. Ze zou haar geld steken in iets wat echt een verschil kon maken. Iets wat meer was dan cement en stenen. Iets belángrijks.

Het was trouwens toch bijna bedtijd. En hoe eerder ze naar bed ging, hoe eerder ze ook weer kon opstaan.

Want morgen was de dag waarop Törs volgende e-mail binnen zou komen.

Ze had Tör maar twee keer in het echt ontmoet:

één keer op de boot op weg naar Bereneiland en vervolgens nadat hij had geholpen haar uit de ijskoude zee op te vissen. Dan nog was hij de beste vriend die ze had. De enige persoon die haar wel volledig leek te begrijpen. Dat was het met gedeelde ervaringen, die vormden een onlosmakelijke band die voor eeuwig zou bestaan.

April had op het internet heel veel artikelen over de Noordpool gelezen en een hoop documentaires bekeken, maar dat was niet hetzelfde als daar ter plekke zijn. Dat maakte Törs e-mails des te specialer. Zodra zijn schip was aangemeerd bij Longyearbyen, wat het één keer per maand deed, wandelde hij rond en nam hij foto's, of soms maakte hij een filmpje (zoals die keer dat er een rendier door de hoofdstraat wandelde!). Hij verzamelde voornamelijk alle laatste nieuwtjes om die aan April door te geven, waaronder de meest recente informatie van het Poolinstituut. Zo heel af en toe stuurde Lise haar ook een bericht, maar de laatste tijd leek ze het veel te druk te hebben met veldwerk, dus moest April het vooral hebben van Tör, die haar ogen en oren was.

Spitsbergen was een zeer afgelegen gebied waar geen gewassen gekweekt konden worden – sterker nog, op de hele eilandengroep was geen boom te bekennen – en de bewoners waren dan ook voor alles afhankelijk van de buitenwereld. Törs schip zou morgenochtend aanmeren, en als zoon van de kapitein waren tijdschema's en stiptheid hem met de paplepel ingegoten.

Hij was nog nooit te laat geweest met het versturen van zijn mail.

April wenste haar vader en Maria een goede nacht en voelde haar hart sneller kloppen. Ze voelde zich licht en blij, alsof de platenspeler nog steeds muziek afspeelde, maar zij de enige was die dat kon horen. Zo ging het elke maand. Törs e-mails waren zoveel meer dan alleen woorden op een scherm. Het waren levende, ademende dingen die de geur van de Noordpool met zich meebrachten, en haar kostbare inkijkjes gaven in een wereld die nog steeds met ijskoude vingers naar haar wenkte.

Als ze eerlijk moest zijn was dit het enige moment van de maand waarop April bruiste van het leven.

HOOFDSTUK DRIE

DE E-MAIL

M isschien kwam het door de warmte dat April een nachtmerrie had.

Haar vader zette de verwarming altijd hoger als Maria kwam, want die klaagde vaak dat hun huis zo koud was. April en haar vader hadden de verwarming nooit erg hoog staan. Deels omdat het beter was voor het milieu, maar eigenlijk nog meer omdat het noordpoolbloed nog door hun aderen stroomde, of papa dat nou leuk vond of niet. Maria was allang naar huis gegaan, maar de hitte hing nog steeds als een dikke deken in huis.

In haar droom was ze weer op de Noordpool. Maar niet samen met Beer. Hij was nergens te bekennen. Deze keer was ze helemaal alleen en klom ze in haar eentje langs de wand van een van de steilste bergtoppen naar boven. De zee onder haar klotste en de ijskoude wind blies in haar oren. Toen ze de top eindelijk had bereikt, keek ze wanhopig alle kanten op.

'Beer?' riep ze, met een vreselijke trilling in haar stem. 'BEER?!'

Er kwam geen antwoord. De grijze wolken boven haar hoofd gleden kwaad verder. En toen zag ze het. Een plukje zachte witte vacht dat onder een steen uitstak. Ze knielde neer, trok het met bonzend hart los en drukte het plukje vacht tegen haar neus. Het rook dierlijk en muskusachtig. Het rook ook naar thuis.

Geschrokken besefte April dat ze naar het noorden keek. En dat ze vele maanden geleden op precies deze plek had gezeten en had uitgekeken over de woeste, staalgrijze zee terwijl ze Beers verhaal te horen kreeg.

'Beer?' had ze nog eens gevraagd.

Ze hield haar hoofd schuin en spitste haar oren door tijd en ruimte, tot ze aan de uiterste rand van de wereld een geluid waarnam. Een geluid dat ze overal zou hebben herkend.

Het was de brul van Beer.

LUID GEBRUL.

Hij brulde.

En brulde.

De brul voelde zo echt en rauw dat April ervan wakker schrok.

In eerste instantie was ze in de war en dacht ze even dat ze nog steeds op die bergtop zat, met de ijskoude noordpoollucht op haar lippen. Maar toen kreeg haar slaapkamer langzaam vorm. Ze zag de randen van haar kledingkast, haar stevige schrijftafel en tot slot ook de glans van de foto's aan de muur die het regenboogkleurige landschap van de Noordpool toonden.

Vlak buiten haar raam ronkte een auto luid met zijn motor, en ondanks het late tijdstip zat April rechtop in bed. Want daar, heel ver in de verte, ver voorbij haar huis, haar straat, haar land – veel verder dan dat menselijke zintuigen eigenlijk kunnen reiken – hoorde ze nog iets anders.

Het onmiskenbare geluid van een brul.

De volgende ochtend trok aan haar voorbij in een waas van oneindig veel klusjes en taken en saaie grotemensendingen die gedaan moesten worden. Ondertussen begon April aan zichzelf te twijfelen. Had ze Beer echt wel horen brullen vannacht? Of was het maar een droom geweest? Een hoopvol hersenspinsel?

Het had zo levensecht geklonken. En juist die levendigheid had haar een vreemd, ongemakkelijk gevoel in haar maag bezorgd, een gevoel dat ze maar niet van zich af kon zetten, wat ze ook deed. Gelukkig zou ze vandaag iets van Tör horen. Die stuurde zijn e-mail meestal nog voor lunchtijd, zodra de crew alle lading van de boot had gelost. Ze voelde een rilling van opwinding bij het vooruitzicht.

Ze wenste dat papa zou opschieten. Op de terugweg van de garage had hij besloten langs de snoepwinkel te rijden en een voorraadje anijssnoepjes in te slaan. De winkel bevond zich in het hart van de stad. Op elke andere dag zou April dolgraag met hem zijn gaan winkelen – niet om spullen te kopen die ze niet nodig had, maar om in de kringloopwinkels te kijken of er leuke ijsbeerbeeldjes te vinden waren. Maar vandaag had ze ervoor gekozen om in de auto te blijven wachten, en ze deed haar best om niet steeds op haar horloge te kijken.

'Toe nou, pap,' mompelde ze. Hij was nu toch echt al vijf minuten weg.

Ze wiebelde heen en weer op haar stoel en zag ineens twee meisjes uit haar klas arm in arm over straat lopen. Het langere meisje van de twee, die met de blonde vlechten met roze linten, was de eerste die haar Berenmeisje had genoemd. Ze had zelfs een keer gezegd dat April naar dieren rook.

Dat had April niet opgevat als een belediging. Iedereen wist toch dat dieren naar magie roken? Maar toch liet ze zich onderuitzakken tot het tweetal haar voorbijgewandeld was. Als ze de af- gelopen zeventien maanden iets had geleerd, dan was het wel om vooral geen tijd te verspillen aan mensen die niet eens zagen wie je echt was.

Eindelijk kwam papa terug met een zak snoep- jes zo behoedzaam in zijn handen geklemd dat het leek alsof hij een goudstaaf vervoerde. 'Sorry dat het zo lang duurde,' zei hij terwijl hij zijn lange le- dematen onhandig in de auto wurmde. 'Er stond nogal een rij.'

Ze kon niet wachten tot hij de motor startte en

wegreed, want zo onderhand zou Törs mail toch wel binnengekomen zijn? Die stond op haar te wachten!

'Ik dacht dat we misschien op de terugweg nog even langs Oma Appel konden gaan,' stelde papa voor, en hij haalde een van de snoepjes uit de wikkel en stopte het met een tevreden zucht in zijn mond.

'NEE!' riep April. Toen ze haar vaders geschrokken gezicht zag, vervolgde ze zachter: 'Misschien een andere keer.'

Papa knikte en fronste verbijsterd zijn wenkbrauwen voor hij de motor startte. 'Dan gaan we gewoon naar huis!'

Zodra April de deur had geopend, schopte ze haar schoenen uit, zodat ze kletterend op de vloer in de hal terechtkwamen. Ze holde de trap op en het kon haar niet schelen dat ze haar jas nog niet had uitgetrokken en dat die nu rond haar voeten wapperde. Ze nam de trap met twee, soms zelfs drie treden tegelijk en stormde haar slaapkamer binnen, waar ze de laptop openklapte en haar mailprogramma opende.

Haar borst bewoog op en neer bij haar raspende ademhaling, en ze had een paar tellen nodig voordat ze zich goed op het scherm kon focussen.

Maar toen dat eenmaal gelukt was...

Hé, dat was raar.

Er waren geen nieuwe e-mails.

Helemaal niets.

April had drie klokken. Een wandklok met de lokale tijd, een andere klok met de huidige tijd in Spitsbergen en het horloge dat papa haar op haar eerste dag op Bereneiland had gegeven. Ze keek voor de zekerheid op alle drie. (Ze had ook nog een vierde die liet zien hoeveel tijd er nog was voordat de planeet onherstelbaar opgewarmd zou zijn. Maar die bewaarde ze in de la van haar bureau, want dat was niet iets waar je de hele tijd naar wilde staren.)

Ze controleerde de internetverbinding en startte haar computer opnieuw op, om er zeker van te zijn dat die goed werkte. Maar nog steeds kwam er geen e-mail binnen. April nam in gedachten diverse scenario's door:

Misschien was Törs schip later aangemeerd. Het weer op de Noordpool kon nogal wisselvallig zijn. Wie weet had hij het druk omdat hij eerst nog iets voor zijn vader moest doen.

Misschien had hij wel een extra lange, bomvolle mail geschreven met een hele hoop foto's, waardoor het bestand zo groot was dat het langer nodig had om te uploaden. (Al leek dat haar onwaarschijnlijk, want Törs mails waren juist altijd vrij kort, zonder alle details waar April eigenlijk op hoopte. Maar dat was vast zo'n jongensding.)

Ze keek opzij naar de foto van haar en Beer, en opnieuw bekroop haar een onaangenaam gevoel dat alleen maar toenam. Vlak voor haar raam kraste een kraai instemmend mee.

Törs e-mail arriveerde uiteindelijk pas na het avondeten.

April was bijna in slaap gevallen. Maar het was niet zo'n fijn, ontspannen tukje geworden. Eerder een rusteloze halfslaap, waarbij je gedachten maar blijven malen en kolken. De ping van de binnengekomen e-mail leek wel het getoeter van een scheepshoorn en ze werd met een schok wakker.

Ze stak haar handen uit om de laptop van de grond te pakken en het was net alsof de tijd vertraagde. Alsof alle drie de klokken in de kamer op pauze waren gezet en hun adem inhielden. Aan de ene kant wilde ze die laptop pakken, aan de andere kant wilde ze de deken liever tot boven haar hoofd trekken. Maar April was niet zo iemand die zich ergens voor zou verstoppen. Zelfs niet als het om slecht nieuws ging. In plaats daarvan haalde ze even diep adem en toen opende ze het bericht.

Er is een ijsbeer neergeschoten in Longyearbyen.
Ik denk dat het Beer is.

HOOFDSTUK VIER

GEEN TIJD TE VERLIEZEN

Papa was een documentaire over grijze walvissen aan het kijken, maar na één blik op
Aprils gezicht sprong hij overeind en zette de tv
uit. Met een kan warme chocolademelk en een
noodvoorraad marshmallows wist hij het verhaal
stukje bij beetje uit haar te trekken.

'Maar April, hoe kan Tör daar zo zeker van
zijn? Er zijn talloze ijsberen op Spitsbergen.'

'Rond de drieduizend,' antwoordde April, en

ze nam bibberig een slokje van haar warme chocolademelk.

De eerste keer dat ze de mail had gelezen was het net alsof ze zelf was neergeschoten. Ze had een vlijmscherpe, doordringende steek gevoeld die haar de adem had benomen. Ze stond enige ogenblikken met korte, panische, afgrijselijke teugen te snakken naar lucht. Maar hoe diep ze ook inademde, de pijn werd alleen maar feller.

Zelfs met de troostende arm van haar vader om haar schouders heen, voelde het alsof ze onder water was en wanhopig de weg naar de oppervlakte probeerde te vinden. Alleen was er deze keer geen Beer om haar te redden.

'Lieve kind van me,' zei papa op vriendelijke toon, 'hoe kan Tör dan denken dat het van al die drieduizend beren uitgerekend jóúw beer is?'

April kromp ineen. 'Niet alleen maar mijn beer,' antwoordde ze. 'Maar Béér. Dat is zijn naam. En ja, hij weet het omdat... omdat...'

Ze kon de zin niet afmaken. Niet zonder te willen schreeuwen of haar handen heel stevig tot vuisten te ballen. In plaats daarvan wees ze op haar laptop naar de bijlage.

IJsbeer neergeschoten in Longyearbyen

Op vrijdagavond is een mannetjesijsbeer neergeschoten en gewond geraakt in de haven van Longyearbyen. Het is niet bekend wie heeft geschoten, vermoedelijk gaat het om een toerist.

Ooggetuigen meldden dat de ijsbeer drie avonden achter elkaar in de haven werd gezien. Een van hen vertelt: 'Hij ging elke avond op dezelfde plek op zijn achterpoten staan. Dan keek hij uit over zee en brulde hij.'

De afgelopen jaren is het leefgebied van de ijsberen aangetast door klimaatverandering, waardoor de dieren zich steeds vaker genoodzaakt zien om op land naar eten te zoeken. Zo komen ze steeds meer in contact met mensen. Onderzoekers waarschuwen voor hun toenemende agressieve gedrag tegenover mensen die te dichtbij komen.

IJsberen zijn een bedreigde diersoort en ook al is het wettelijk verplicht om op Spitsbergen een wapen bij je te hebben, er wordt tevens met klem geadviseerd alleen op een beer te schieten wanneer je daadwerkelijk in levensgevaar verkeert.

Over het lot van de beer is niets bekend.

Haar vader las het artikel twee keer. Daarna zette hij zijn bril af, wreef langzaam in zijn ogen en staarde naar zijn dochter zonder haar echt te zien.

'Snap je het dan niet?!' riep April uit. Ze dacht niet alleen aan het artikel, maar ook aan die verontrustende droom die ze had gehad. 'Het móét Beer wel zijn. Welke andere beer komt er nou precies naar die plek in de haven en gaat dan zo op zijn achterpoten staan?'

'Maar waarom zou hij terugkomen?'

Dat was een goede vraag. Want net als alle wilde dieren die dat puur op instinct al aanvoelen, moest Beer toch ook wel hebben geweten dat het gevaarlijk was om een stad op te zoeken en zo dicht bij mensen te komen? Waarom zou hij zo'n enorm risico hebben genomen?

Het antwoord drong als een bliksemflits tot haar door. Hij was gekomen omdat hij haar nodig had! Ze wist niet waarom, maar ze voelde in elke vezel van haar lichaam dat Beer haar riep.

'Hij heeft me nodig,' zei ze. 'Hij heeft me nodig en nu is hij nog gewond ook.'

Of misschien zelfs…

Ergens onder Aprils voeten kantelde de aarde vervaarlijk opzij, en ze kon zich nog maar net vastgrijpen. Nee. Dát mocht ze beslist niet denken. Dus leunde ze naar voren, plantte haar ellebogen stevig op tafel en keek haar vader recht in de ogen. 'We moeten hem helpen.'

'Helpen? Wat kunnen we vanaf hier nou helemaal doen?'

'Niet veel,' moest ze toegeven. 'Daarom moeten we teruggaan.'

'Terúggaan? Naar Spitsbergen?' Papa slikte. 'Nee! Dat gaat niet gebeuren!'

Hij nam een flinke slok van zijn warme chocolademelk en toen hij de beker neerzette, zat er een bruine melksnor op zijn bovenlip. Normaal gesproken zou April die voor hem hebben weggeveegd, of er iets over hebben gezegd. Maar hij keek zo somber dat ze deze keer geen van beide deed.

'Kijk,' zei hij, en hij wees met zijn vinger naar een specifieke regel in het artikel. 'Hier staat: over het lot van de beer is niets bekend. Dus het kan ook heel goed zijn dat de… dat Béér in orde is. Dan doen we al die moeite terwijl hem helemaal niets mankeert.'

'Maar wat als dat niet zo is?' vroeg April met een klein stemmetje. 'Wat als hij gewond is?'

'Dan zou ik me alsnog afvragen wat wij daaraan kunnen doen.'

'O, pap.' April zuchtte diep en legde haar hand op de zijne. Ze voelde hem trillen en gaf hem een zacht kneepje bij wijze van reactie. 'Ik kan hem toch niet in de steek laten... Je weet dat ik dat niet kan. Ik kan me niet neerleggen bij de situatie – ik kan er niet mee leren leven, want zo kán ik niet leven. Zelfs als hij niet gewond is, dan nog moet ik uitvinden waarom hij me riep.' Haar gedachten dwaalden weer af naar de droom en de brul van Beer die ze nog kon horen toen ze wakker werd. 'Er is iets mis. Ik wéét het gewoon.'

Langzaam blies papa zijn adem uit en hij legde zijn handen met de palmen plat op tafel. Er lag een vastberaden blik in zijn ogen die haar niet beviel. Het was zo'n blik die waarschuwde dat er een 'nee' aankwam, en dus haastte ze zich om die voor te blijven.

'Ik heb je ooit eens iets verteld wat belangrijk was en toen geloofde je me niet,' zei ze. 'Toen deed ik iets heel gevaarlijks, maar alleen omdat ik niet wist wat ik anders moest doen. En toen ik dat

45

deed…' Ze maakte de zin niet af. April vond het zelfs nu nog moeilijk om te denken aan dat moment dat ze in die ijskoude zee was gevallen en bijna was verdronken.

'En toen je dat deed,' herhaalde haar vader, om de zin vervolgens voor haar af te maken, 'ben ik je bijna… kwijtgeraakt.'

April knikte. Ze durfde bijna niets meer te zeggen, maar wist dat ze moest doorzetten. 'Daarna heb je gezegd dat je er alles aan zou doen om het goed te maken. Dat heb je belóófd.'

Papa blies een trillende zucht uit. April wist niet goed hoe ze die moest opvatten. Maar ze liet haar hand op de zijne liggen, alsof hij een schip was en ze hielp het roer recht te houden. Op zijn gezicht tekenden zich tot wel duizend verschillende uitdrukkingen af voordat het bij gelatenheid bleef.

'Dat heb ik inderdaad beloofd en… dat meen ik ook nog steeds,' zei hij met een stem die heel licht trilde.

'Alsjeblieft, pap?' vroeg April. 'Wil je dan alsjeblieft met me teruggaan?'

Er was geen tijd te verliezen. In tegenstelling tot de vorige keer konden ze niet eerst naar een speciale winkel om winterkleding te kopen, dus pakten ze maar mee wat er in de kast hing. Aangezien hij nooit had verwacht dat ze binnen korte tijd zouden terugkeren, had papa zijn noordpoolkleding al een hele tijd geleden naar een tweedehandskledingwinkel gebracht. Het enige wat hij nog had liggen waren wollen thermokleren als basislagen, een waterdichte jas en een lange, mosterdgele sjaal die Maria voor Kerstmis voor hem had gebreid. April had niet veel meer dan hij: ze had al haar warme kleren wel bewaard, maar was er inmiddels uitgegroeid. Maar dan nog waren haar dikke winterjas, een warme muts en een aantal laagjes warme onderkleding beter dan niks. Wat ze allebei niet meer hadden was een paar echte sneeuwlaarzen.

'Er zullen daar vast wel winkels zijn die dergelijke spullen verkopen,' zei papa.

'Ik hoop het. Het wordt daar min tien graden en dat is dan nog overdag!' zei Maria die er verschrikt bij keek.

Papa had erop gestaan Maria meteen te bellen zodra ze hun besluit hadden genomen. Ondanks het late tijdstip stond ze een paar minuten later al voor de deur. April wist niet hoe Maria zou reageren. Het was heel erg last minute en ze wisten ook niet hoelang ze weg zouden blijven.

Maar ze had April verrast.

Maria wist weliswaar weinig van hun doel, maar leek intuïtief te begrijpen hoe belangrijk de reis voor April was. Maria had ook de vooruitziende blik gehad om een hotel voor hen te boeken, en gelukkig had ze ondanks de korte termijn iets gevonden met een woonkamerruimte erbij. Bovendien was zij zo helder geweest om een vlucht te regelen.

'Het is me gelukt om twee stoelen te krijgen op een vlucht die morgenmiddag vertrekt.'

April voelde zich schuldig dat ze met het vliegtuig gingen. De uitstoot daarvan was tenslotte een van de veroorzakers van de klimaatverandering. Maar als ze moest kiezen tussen een boot nemen en er meer dan een week over doen om daar te komen, of morgen al arriveren, dan wist ze ook wel dat die keus snel was gemaakt. Dus besloot ze om haar zakgeld van een hele maand te doneren aan een bedrijf dat bomen plantte om de uitstoot van broeikasgassen te compenseren. Het was niet perfect, maar het was beter dan niets. En soms is je best doen al goed genoeg.

Gelukkig had papa nog wat vrije dagen die hij kon opnemen op zijn werk en Maria zei dat ze het op Aprils school wel zou regelen. Het enige wat hun nu nog in de weg stond droeg roze pantoffels en rook naar appels.

'Ik vind het onvoorstelbaar dat je haar weer mee terug neemt, Edmund! Zeker na wat er de vorige keer is gebeurd!'

Het was de ochtend van de vlucht en met hun tassen al ingepakt was het te laat voor protesten.

Voor de deur stond een taxi te toeteren. Papa sloeg zijn armen stevig om Maria heen, sloot zijn ogen en streek even met zijn lippen langs haar haar. Het was zo'n intiem en persoonlijk moment dat April zich schuldig voelde dat ze er ook maar iets van had gezien.

'Kom hier, jij,' sputterde Oma Appel, die haar tegen zich aan trok voor een dikke knuffel en haar met een luid gesnuf weer losliet. 'Pas deze keer goed op jezelf. Beloof het me.'

April drukte haar oma nog een keertje extra stevig tegen zich aan. Weer toeterde de taxi en papa gaf Maria nog een laatste afscheidskus.

'Het is tijd om te gaan,' zei hij en hij schraapte zijn keel.

Chester blafte opgetogen. Nu stond haar nog maar één ding te doen. April pakte snel een pot pindakaas uit het keukenkastje en stopte die in haar koffer.

'Ik ben zover,' zei ze.

HOOFDSTUK VIJF

TERUG NAAR SPITSBERGEN

April had het noordpoolgebied tot nu toe alleen maar gezien vanaf de boeg van een schip, of vanaf de rug van een ijsbeer. Toegegeven, dat waren allebei heel interessante perspectieven. Maar het was wel heel anders wanneer je dit gebied vanaf duizenden meters erboven bekeek, door het raampje van een vliegtuig.

Dit was hun derde en laatste vlucht. De eerste had hen naar Oslo gebracht, de hoofdstad van

Noorwegen. Vanaf daar waren ze doorgevlogen naar Tromsø in het noorden, waar papa en April al die maanden geleden voor het eerst aan boord van het vrachtschip van Törs vader waren gegaan om naar Bereneiland te varen. Deze keer was hun verblijf in Tromsø een stuk korter; het vliegtuig bleef net lang genoeg staan om bij te tanken voor het weer opsteeg met als eindbestemming Longyearbyen.

April hield haar ogen op het raam gericht. Sinds oktober lag het noordpoolgebied zachtjes en roerloos onder een dikke wintervacht. Dit was de poolnacht, waarbij de duisternis alles overheerste. Maar nu het half februari was, begon de zon aan haar terugkeer en had de hemel een mysterieuze blauwzwarte tint, als een soort blijvend schemerdonker dat zich verspreidde zover het oog reikte. Ergens ver onder hen lag Bereneiland. Een klein stipje in de oceaan. Maar ook de plek waar ze haar grootste avontuur had beleefd. Soms waren kleine dingen van heel grote waarde.

Al gingen ze deze keer niet naar Bereneiland toe.

Het vliegtuig deed er iets meer dan een uur over voor het dwars door een dichte wolk dook en begon te dalen. April keek naar buiten en hapte naar adem.

Ver onder haar lag een witte deken van sneeuw en ijs, zo eindeloos dat het niet goed te zien was waar het land eindigde en het zee-ijs begon. Zelfs in het halfdonker was al dat wit zo fel dat het pijn deed aan haar ogen.

Papa hapte niet naar lucht. Hij keek niet eens uit het raam. Hij had de hele vlucht maar weinig gezegd, behalve om te verzuchten dat hij zijn zakje anijssnoepjes was vergeten mee te nemen, of om te klagen dat de stoel wel heel ongemakkelijk was, of om April eraan te herinneren dat ze zich BE-SLIST NIET WEER in gevaar mocht brengen tijdens haar zoektocht naar Beer, wat er ook gebeurde.

April knikte. Het was eenvoudiger om gewoon maar in te stemmen.

Het vliegtuig zat niet helemaal vol; Spitsbergen in de winter stond niet heel hoog op de lijst van droomvakanties. De andere passagiers aan boord waren verweerde mensen met grijs haar en gezichten die eruitzagen alsof ze tot aan het einde van de aarde en weer terug waren geweest. Er was ook een groepje heel opgewonden studenten, waarschijnlijk op weg om wetenschappelijk onderzoek te verrichten. En tot slot was er een handjevol toeristen die werden aangetrokken door de roep van het avontuur en de sirenenzang van de Noordpool.

April was de jongste persoon in het hele vliegtuig.

Ze legde haar vingertoppen tegen het raampje en voelde de kou terugduwen. De laatste keer dat April en haar vader naar de noordpoolcirkel waren afgereisd was het zomer geweest. Misschien niet een heel warme zomer, maar ze hadden wel weken en weken aan eindeloze zonneschijn gehad, en talloze dagen die niet werden onderbroken door de donkere nacht.

Maar nu? Nu zou het pijnlijk koud zijn. Veel kouder dan op Bereneiland, want Spitsbergen lag verder naar het noorden en nog dichter bij de Noordpool, het allernoordelijkste plekje op de hele aardbol. De eilandengroep zou nu bedekt zijn met sneeuw, ijs en gletsjers. Zodra het vliegtuig overhelde in een bocht keek April in haar notitieboekje, waarin ze de afgelopen anderhalf jaar allerlei aantekeningen over de Noordpool had gemaakt, met hier en daar een schets van een ijsbeer erbij. Ze bladerde naar de pagina waarop ze over de poolwinters had geschreven en hapte hoorbaar naar adem. De temperatuur kon 's nachts dalen tot wel min dertig graden! Er waren gierende winden, onvoorstelbare stormen, dikke sneeuwjachten, ijskoude mist en uiteraard waren er ook ijsberen. Beren die je konden doden.

De Noordpool was niet een plek waar je zomaar even naartoe ging in de winter.

De piloot kondigde aan dat de afdaling werd ingezet en April pakte papa's hand vast. Na een ogenblik gaf hij haar ook een kneepje.

'We zijn terug,' fluisterde ze.

In de verte waren een paar felgele lichten te zien. Longyearbyen, een klein stadje midden in de wildernis, bestaande uit een hoofdstraat, een rijtje winkels, een handvol hotels en zelfs een school. Een plek met slechts een paar duizend inwoners die afkomstig waren uit alle hoeken van de wereld en hiernaartoe waren gekomen om te wonen, te werken, onderzoek te verrichten en het milieu te beschermen.

Het vliegtuig maakte nog een bocht en vloog toen omlaag, laag genoeg voor April om de afzonderlijke houten hutten te zien die verlicht werden door een warm, flakkerend lamplicht. Zo laag dat ze de vorm van de haven ontwaarde, waar ze zoveel maanden geleden was vertrokken en een deel van haar hart had achtergelaten.

Opeens gleed het vliegtuig over de landingsbaan, net als een van die vreemde poolmeeuwen die rakelings over het wateroppervlak scheerden voor ze zachtjes landden en een eindje verderop stil bleven liggen.

April slaakte onbewust een diepe zucht. Een ademtocht waarvan ze niet had gemerkt dat ze die had ingehouden, maar die al meer dan een jaar heel diep vanbinnen weggestopt had gezeten. Een zucht die pas weer naar boven kwam nu ze zich in de poolcirkel bevonden. En ondanks de omstandigheden die haar hierheen hadden gebracht, kon April een glimlach niet onderdrukken.

Ze was weer thuis.

HOOFDSTUK ZES

HANSEL EN JURGEN

P as toen de deur van het vliegtuig werd geopend en de pijnlijk koude windvlaag door
het toestel kronkelde, drong het echt tot April
door dat ze terug waren. De lucht hier was niet
alleen maar koud. Het was een droge, bittere kou.
Een kou waarvan je ogen gingen tranen, je huid
dorstig werd en je longen begonnen te branden.
Ze trok meteen haar dikke jas aan en zette haar
warme muts met het bolletje erop op haar hoofd.

Papa's neus kleurde al rood en hij snoot hem met een luid getoeter. 'We moeten een winkel vinden om degelijke winterkleren te kopen, April. We hebben er niets aan als we hier doodvriezen,' mompelde hij, en hij wreef flink in zijn handen.

Het duurde niet lang om door de douane te komen, en daarna stapten ze in een shuttlebusje dat alle passagiers meenam en ze direct naar hun hotels bracht. Dat was iets waar papa echt op stond. Ze hadden het overgrote deel van de dag nodig gehad om hier te komen, en hij snakte naar een warme kop koffie en een ogenblik om uit te rusten voordat ze ook maar iets zouden doen.

'April, mijn lieve kind,' zei hij geruststellend, alsof hij haar ongeduld aanvoelde. 'We moeten altijd de tijd nemen om een plan te bedenken... vooral in dit deel van de wereld.'

Ondanks de strakgespannen knopen in haar maag wist April dat hij gelijk had. In het licht van de toenemende maan staken de puntige bergspitsen als een donker en grimmig silhouet van vlijmscherpe tanden boven het stadje uit. Overal lag sneeuw: grote, oneven hopen die tegen de gebouwen aan gewaaid waren, dikke pakken op de daken en grote bergen langs de weg die de sneeuwruimers vrij hadden gemaakt. Het was een nieuwe wereld. Een ruige wereld. En boven alles: een gevaarlijke wereld.

Er waren maar een paar plekken in het stadje waar bezoekers konden overnachten, dus de busrit duurde niet lang. Alle andere passagiers werden afgezet bij een chic uitziend hotel aan de hoofdstraat, maar hun eigen hotel stond boven op een vrij steile heuvel.

Op het eerste gezicht stelde het niet heel veel voor: een lelijk drietal aaneengekoppelde vrachtcontainers naast elkaar tegen de achtergrond van de hoog uitstekende, spitse bergen.

Binnen zag het er niet veel beter uit.

Ze arriveerden in een zwak verlichte ontvangsthal waar een grote houten receptiebalie stond die bedekt was onder een licht laagje stof. April snoof de lucht op. Het rook alsof het hier verlaten was en er hing een troosteloze, bedompte sfeer. Aan de muur achter de balie hingen zwart-witfoto's van Longyearbyen die de geschiedenis van het stadje toonden: foto's uit de tijd van de vroege jachtexpedities en de latere mijnwerkersdorpen tot en met de meer op toeristen gerichte gemeenschap die het nu was geworden. Bij een van de foto's trok April vol afgrijzen haar neus op. Een afgrijselijke foto van een stel poolvosvachten die naast elkaar in een rijtje hingen. Ze deinsde walgend achteruit en draaide zich om – maar stond toen oog in oog met een levensgrote rendierkop die aan de muur achter haar prijkte. Het indrukwekkende gewei vormde een sterk contrast met de doffe bruine ogen en de droevige glimlach.

'O,' mompelde ze. 'Arm dier.'

Ze wist dat mensen lang geleden naar Spitsbergen waren gekomen om op wilde dieren te jagen voor hun vlees en hun vacht. Maar nu ze het met eigen ogen zag, voelde het ineens raar. Hoe was hij hier terechtgekomen, als ornament aan een hotelmuur? Voor zo'n edel dier was dat zo oneerlijk.

'Ah, ik zie dat je Hansel al hebt ontmoet!'

'Hansel?' April draaide zich met een ruk om en zag een ietwat gezette meneer die een kleurig vest droeg en een jachtpet op zijn hoofd had.

'Het rendier,' zei de man met een net iets te luide grinnik. 'Geen zorgen, hij bijt niet, hoor!'

April wilde net iets terugzeggen toen ze papa's hand zachtjes op haar schouder voelde. 'Edmund Wood en mijn dochter, April,' zei hij en hij stak zijn hand uit. 'We hebben gisteren een kamer geboekt.'

'Jurgen König,' antwoordde de man. Achter hem was een open deur die naar een zitkamer leidde. April vermoedde dat het zijn eigen woonruimte was, aangezien er een groot bord boven de deur hing met het woord PRIVÉ erop. Een ouderwets uurwerk hing aan een gouden ketting aan Jurgens vest en hij pakte het met een zwierig gebaar om erop te kijken. 'Ah, goed zo. Jullie zijn vroeg.'

Jurgen knikte goedkeurend en controleerde toen een met de hand ingevulde agenda op het bureau. Voor zover April kon zien stond er geen enkele andere naam in behalve die van hen. Maar toch liet hij zijn vinger met een overdreven gebaar over de bladzijde glijden. 'Ah, hier staan jullie.'

Jurgen overhandigde papa de papieren die hij moest tekenen en keek ondertussen nieuwsgierig naar April, alsof hij het niet gewend was om kinderen te zien.

'Is dit jullie eerste keer hier?' vroeg hij.

'De tweede,' zei ze.

'De eerste keer was min of meer per ongeluk,' legde papa uit. 'Deze keer is het meer een...'

'Onderzoekingsreis,' maakte April de zin af. 'We zijn op zoek naar een vriend. Een góéde vriend.'

Ze was niet van plan om Jurgen te vertellen dat die goede vriend nogal groot van stuk was, dol was op pindakaas en een dikke witte vacht had.

'Ah, dan heeft de Noordpool jullie hart gestolen. Er zijn maar weinig mensen die hier één keer naartoe komen. Nog minder die nog eens terugkomen, vooral niet in deze tijd van het jaar,' zei hij met een opgetrokken wenkbrauw. 'Goed, volg mij maar.'

Hij liep voor hen uit een lange, nogal donkere gang in, voorbij een paar gesloten deuren. Zonder dat iemand iets vroeg begon hij te vertellen dat hij in Duitsland was geboren en zijn gezin tien jaar geleden had meegenomen naar Spitsbergen, maar dat zijn vrouw en jonge dochter weer waren teruggekeerd. 'Mijn dochter vond het hier geweldig, maar mijn vrouw beviel het niet. De Noordpool is geen vergevingsgezinde plek.' Hij bleef staan bij een deur aan het einde van de gang. 'Hopelijk is dit naar jullie wens.'

Het was een kleine, karig gemeubileerde kamer met een versleten houten stapelbed, een lampenkap die gemaakt was van wrakhout en een ovaal raam met uitzicht op het donkere gebergte in de verte.

Nadat Jurgen hun een goede nacht had gewenst, liet papa zich op het onderste bed vallen. Hij ging op zijn zij liggen, trok zijn benen op en slaakte een lange, vermoeide zucht. 'Ik was vergeten hoe eenzaam het hier is. Waarom kiest iemand ervoor op zo'n afgelegen plek te gaan wonen?'

April gaf geen antwoord. Ze had willen zeggen dat het te maken had met een verlangen dat heel diep in je ziel huisde, maar ze wist niet of papa dat wel zou begrijpen. In plaats daarvan drukte ze haar neus tegen het raam.

'Ik weet dat je naar buiten wilt om te beginnen met zoeken,' zei papa op een vriendelijker toon. 'Maar we moeten eerst uitrusten, zodat we wat meer energie hebben. Probeer wat te slapen, April.'

Met tegenzin knikte ze. Maar lang nadat haar vader in slaap was gevallen en zij had gedoucht en het bovenste bed in was geklauterd, lag ze nog steeds klaarwakker. April draaide en woelde en ging uiteindelijk rechtop zitten.

'Beer?' fluisterde ze. 'Ben je daar ergens?'

Ze drukte haar neus weer tegen het raam en hoopte tegen beter weten in dat ze het silhouet van een ijsbeer aan de horizon zou ontdekken, net als op die eerste avond dat ze op Bereneiland waren aangekomen. Maar terwijl de dikke, donkere winternacht zijn intrede deed, zag ze deze keer niets dan haar eigen bezorgde spiegelbeeld.

HOOFDSTUK ZEVEN

DE HAVEN

April moest op een gegeven moment dan toch in slaap zijn gedommeld, want ze werd wakker in een hoopje aan het voeteneinde van het bovenste bed, met een arm losjes over de deken heen geslagen. In eerste instantie was ze in de war. *Hoe laat was het?* Anders dan thuis piepte hier geen grijs licht door een opening van de gordijnen. Er was geen teken van het ochtendlicht. In plaats daarvan bleef de kamer donker en ondoordringbaar, met als enige geluid de ritmische adem-haling van haar vader, met zo af en toe een verrast gesnurk.

Haar horloge vormde het enige bewijs dat het toch echt ochtend was.

'Pap!' zei ze, en ze sprong van het bovenste bed af en schudde hem aan zijn schouder. 'PAP! Het is tijd om op te staan!'

In de eetzaal stond het ontbijt klaar, maar Jurgen was nergens te bekennen. Wel had hij een pot lauwwarme koffie op een van de tafels gezet, samen met twee broodjes die niet heel erg vers meer waren. Gelukkig had April weinig trek, al deed papa dapper zijn best om ze dan maar allebei op te eten.

'Jammer dat er geen marmelade is,' zei hij en hij veegde wat kruimels van zijn kin.

April vouwde een kaart van Longyearbyen open op tafel. Die kaart had ze op het vliegveld snel meegenomen voordat ze in de bus stapten. 'We zijn nu hier,' zei ze, wijzend naar hun hotel aan de rand van het stadje. 'Dus ik stel voor dat we eerst naar de haven gaan en kijken of we daar ooggetuigen vinden van… wat er gebeurd is.'

'Klinkt logisch.'

'Ik denk dat we ook naar het Poolinstituut moeten gaan,' ging April verder. 'Ik heb Lise gisteravond nog gemaild om te zeggen dat we eraan kwamen, maar ik heb nog niets gehoord. Als er iemand is die zeker weet of het om Beer gaat of niet, dan is zij het wel.'

'En Tör?' vroeg papa. 'Met zijn kennis van deze omgeving kan zijn hulp heel goed van pas komen.'

'Ik heb hem ook een bericht gestuurd,' zei April. 'Maar ik weet niet zeker of dat nog op tijd aankwam. Misschien is hij al met de boot mee terug naar het vasteland.'

Papa knikte en vouwde de kaart met keurig nette vouwen op tot een klein vierkant. Hij schraapte zijn keel tot twee keer toe en liet zijn stem zakken. 'Je moet voorbereid zijn, April.'

April vond het afschuwelijk wanneer volwassenen hun stem zo lieten zakken. Dat luidde altijd slecht nieuws in. Ze sloeg haar armen over elkaar in een beschermend gebaar. 'Voorbereid op wát?'

Papa nam een teug van zijn koffie. 'De kans is groot… De kans bestaat… dat áls het al die beer… Beer was en hij helaas is neergeschoten…' De woorden sputterden tot een halt en papa schraapte zijn keel opnieuw. 'Dat hij het misschien niet heeft overleefd.'

April moest de opkomende brok in haar keel wegslikken. Ze staarde de zitkamer in en wachtte tot ze weer rustig kon ademhalen voor ze reageerde. 'Maar er is ook een kans dat hij het wel heeft gered,' zei ze toen ze haar stem weer had gevonden. 'En ik stel voor dat we snel op onderzoek uitgaan.'

Vanaf hun plek boven op de heuvel keken ze uit over het stadje dat zich onder hen uitstrekte. Het was een reeks stippellichtjes met in de verte een schitterend golvend wateroppervlak. De zon zou zich pas om elf uur laten zien en de hemel had nog een donkerblauwe kleur.

'Goed,' zei papa, en hij wreef in zijn handen. 'Ik stel voor dat we eerst een stel warme, geschikte kleren zoeken voordat we ook maar ergens naartoe gaan. Ik zag een flyer liggen in de hal en er zit in de hoofdstraat blijkbaar een winkel met allerlei spullen voor een expeditie.'

April wist dat dit een verstandige eerste stap was. Maar de haven was zó dichtbij. En papa had altijd eeuwen nodig om schoenen uit te kiezen aangezien zijn linkervoet groter was dan de rechter, en dan knoopte hij ook altijd een praatje aan met de winkelbediende, en ging hij hem vast ook nog uitleggen hoe hij zijn schoenveters het liefst strikte, omdat hij nogal bijgelovig was als het om zulke dingen ging. Elke minuut die verstreek was een verloren minuut. Nóg een minuut waarin ze zich alleen maar kon afvragen waar Beer was en of het wel goed met hem ging.

Nee! Ze kon niet wachten. Niet nu ze hier was. Dat ging gewoon niet.

'Pap! Kunnen we alsjeblieft pas naar de winkel gaan nadat we bij de haven zijn geweest?'

Hij keek naar zijn schoenen en weer omhoog naar Aprils gezicht voor hij een diepe zucht slaakte. 'Ach, die paar minuten kunnen vast geen kwaad. Dan gaan we eerst naar de haven.'

Al na een paar stappen begon April te beseffen dat dit misschien toch niet de verstandigste beslissing was geweest. Dit terrein was een mengeling van compacte sneeuw en spekglad, onzichtbaar ijs. Zo af en toe wist ze niet eens of ze op de stoep of op straat wandelden, want het was allemaal één breed spoor geworden. Terwijl ze de heuvel afliepen, verloor ze een of twee keer haar evenwicht en glibberde ze gevaarlijk over de grond voor haar vader haar vastgreep en overeind trok. Met hem ging het al niet veel beter en hij hield Maria's sjaal stevig rond zijn hals geslagen om warm te blijven.

Het enige andere stel dat ze onderweg tegenkwamen was een koppel dat hand in hand liep. Ze hadden dichtgeknoopte jassen aan die tot op hun enkels vielen, met fleece gevoerde laarzen, een hoop mutsen en sjaals om zich heen en een stel miniski's onder hun voeten.

April stak haar hand in die van haar vader en voelde zich gerustgesteld toen hij dat gebaar met een kneepje beantwoordde. Geen van beiden zei nog iets tot ze abrupt bleef staan zodra de geur van olie, pekel en zilte zee opeens haar neus binnendrong. Het geluid van boze, botsende golven bracht herinneringen naar boven die ze juist had geprobeerd te vergeten.

'We zijn er,' zei papa zacht.

Het was zeventien maanden geleden dat ze voor het laatst in de haven van Longyearbyen waren geweest, en toch – op die manier waarop de tijd soms een raadselachtig, ongrijpbaar iets was – voelde het alsof dat pas gisteren was gebeurd.

Daar had je de kade waar het schip van Törs

vader was aangemeerd, het schip dat haar en Beer had gered en hen in veiligheid had gebracht. Waar ooit de staalgrijze romp trots aan de steiger had gelegen was nu een lege plek aan de kade.

Ze hapte naar adem. Want dit was ook precies dezelfde plek waar ze van de boot was gekomen met Beer aan haar zijde.

En daar – April durfde bijna niet te kijken – was de plek waar Lise die foto van hen samen had genomen, de foto die ze altijd vlak bij haar hart droeg. Het was ook de plek waar ze haar laatste afscheidswoorden had gefluisterd. Ze staarde er heel lang naar. Het was bijna alsof ze de geest van haar eigen gedaante daar nog kon zien staan. Ze geloofde half dat als ze maar lang genoeg bleef staren, Beer op wonderlijke wijze uit de zeenevel vandaan zou stappen, op zijn achterpoten zou gaan staan en vervolgens in volle vaart op haar af zou denderen…

'Zullen we maar even gaan rondkijken?' vroeg papa, en hij knipte een zaklamp aan die voor een plotseling en fel licht zorgde.

April knikte en schudde de geesten uit haar hoofd. 'Ja, natuurlijk.'

In dit griezelige licht was er weinig te zien. In

tegenstelling tot de havens thuis, waar een constante bedrijvigheid heerste met alle werklieden, toeristen en vissers, was dit een nogal verlaten plek. Er stonden een paar pakhuizen, maar dat was het weer. Ze wist dat Tör waarschijnlijk alweer vertrokken was, en toch was ze teleurgesteld. De enige schepen die aangemeerd lagen waren een paar stevige onderzoeksschepen, die een met staal versterkte romp hadden. Zo waren ze krachtig genoeg voor de extreme weersomstandigheden zo hoog in het noorden en konden ze door het compacte zee-ijs heen breken. Maar levende wezens waren nergens te bekennen.

'Ik ben hier, Beer,' fluisterde April. 'Ik ben weer terug.'

In de diepste krochten van haar hart, waar ze al haar geheimen bewaarde, had April zo af en toe gedagdroomd over wat er zou gebeuren als ze ooit terugkeerde naar Spitsbergen. In die fantasie zou Beer op een of andere manier wéten dat ze er weer was, en hoefde ze niet eerst naar hem op zoek te gaan. Hij kwam gewoon opdagen en dan holden ze op elkaar af en lieten een machtig gebrul horen om hun hereniging te vieren.

Ze luisterde aandachtig. Op zoek naar een aanwijzing dat hij zich inderdaad ergens in dit gebied bevond. Dat hij wist dat ze terug was. Maar hoe bewust ze haar oren ook spitste, ze hoorde niets dan krijsende meeuwen en de ruisende oceaan.

'APRIL!' schreeuwde papa opeens. 'KOM EENS HIER!'

April verstijfde. Niet vanwege de kou, maar om iets veel ergers. Er klonk een schrikwekkende urgentie door in zijn toon, die haar een heel ander soort rilling bezorgde. Ze draaide zich om en zag hem gehurkt zitten, met zijn zaklamp gericht op een donkere vlek in de sneeuw.

'Hierzo!' riep papa weer en ze voelde haar maag samentrekken.

April hervond haar evenwicht. Met de ene onbeholpen, zware stap na de ander kwam ze uiteindelijk vlak naast papa's schouder tot stilstand. Haar keel voelde dichtgeknepen en ze dwong zichzelf omlaag te kijken.

In de lichtstraal van de zaklamp zag ze een overduidelijke vlek. Roestig rood in de sneeuw.

Het was bloed.

HOOFDSTUK ACHT

HET POOLINSTITUUT

April was zich er vaag van bewust dat papa haar meetrok, weg uit de haven, terwijl hij haar probeerde gerust te stellen dat het bloed net zo goed van iets heel anders afkomstig zou kunnen zijn. Hij liep in de richting van een groot, L-vormig gebouw op vijf minuten afstand. Het Poolinstituut. Het diende als onderzoekscentrum voor de Noordpool en was ook de plek waar Lise werkte. Dat maakte het tot de eerstvolgende logische plek om aan informatie te komen.

April rammelde wat aan de deurknop, maar haar handen waren zo koud dat ze de greep niet in beweging kreeg. Papa deed de deur uiteindelijk open en liet haar voor hem uit de felverlichte ontvangsthal in lopen, met witte muren die vol adembenemende noordpoolfoto's hingen. Als de omstandigheden anders waren geweest, zou April vol bewondering hebben rondgekeken.

Maar vandaag niet.

In plaats daarvan liep ze naar de balie waar een wat oudere man met een afrokapsel en een zwart brilmontuur druk bezig was met typen. Vlak boven zijn linkerborstzakje droeg hij een naamkaartje waar VINCENT op stond.

'Kan ik jullie helpen?' Hij keek op en knipperde een paar keer verrast. April wist niet of dat te maken had met haar leeftijd, haar verschijning of haar ernstige gezichtsuitdrukking. En misschien was het een combinatie van alle drie.

'Ik ben op zoek naar Lise,' zei ze zonder zich eerst netjes voor te stellen. Ze plantte haar handen op de balie. 'Ze heeft paars haar en regenbooglaarzen.'

'Ah! Je bedoelt Lise Le Page.' Vincent knikte instemmend. 'Ik vrees dat ze vanmorgen is vertrokken. Ze gaan op expeditie in Nieuw-Friesland, in het noorden van Spitsbergen. Daar zijn ze bezig met een bijzonder conserveringsproject…'

'Is ze wég?' April keek haar vader verschrikt aan, en hij slikte moeizaam.

Tot op dit moment had ze zich niet gerealiseerd hoezeer ze haar hoop had gevestigd op een gesprek met Lise. Afgezien van Tör was Lise de enige die hen kon helpen deze ruige nieuwe wereld te begrijpen, die misschien wel hulp had kunnen bieden. 'Maar… hoelang dan?'

'Vier weken. Misschien langer. Hangt uiteraard af van de wisselvallige weersomstandigheden. Ze hoort bij een onderzoeksgroep die de kraamholen in de gaten gaat houden.' Vincent haalde zijn schouders op. 'Je snapt dat zulke gebeurtenissen geen strak schema volgen.'

April knikte half verdoofd. Ze had weleens over zulke onderzoekingsreizen gelezen. Dat was een van de vele belangrijke projecten die het Poolinstituut en andere stichtingen en organisaties in het noordpoolgebied uitvoerden. Door de kraamholen van de ijsberen in de gaten te houden, en met name de eerste kwetsbare weken en maanden in het leven van de welpjes, konden ze nagaan in welke mate de ijsberenpopulatie leed onder de gevolgen van de klimaatverandering en andere menselijke invloeden.

Dat was allemaal Heel Erg Belangrijk, maar zij hadden er helemaal niets aan.

April zag diezelfde frustratie op het gezicht van haar vader. Waren ze maar eerder gekomen. Ze wreef verwoed in haar ogen.

'Kan ik jullie ergens mee van dienst zijn?' vroeg Vincent, die zijn blik beleefd van April afwendde en op haar vader richtte.

Papa schraapte zijn keel. 'Ja, misschien wel. We zijn op zoek naar informatie over de ijsbeer die onlangs mogelijk gewond is geraakt in de haven.'

'O, ja. Een betreurenswaardig, maar gelukkig zeer zeldzaam incident. Blijkbaar heeft een stel toeristen per ongeluk hun vuurwapen afgevuurd.'

'Ja, zeker betreurenswaardig,' zei papa droogjes.

'En de beer?' vroeg April, terwijl ze haar best deed om haar stem niet te laten trillen. 'Is híj gewond?'

'We gaan er wel van uit, maar we weten niet hoe ernstig. Tegen de tijd dat de autoriteiten ter plaatse waren, was de beer al weg.'

'Maar… maar waarnaartóé dan? Is iemand nog naar hem gaan zoeken?' vroeg April. 'Wat gebeurt er als… als hij zwaargewond is? Wie moet hem dan helpen?'

Vincent zuchtte. Het was geen onvriendelijke zucht, meer een uiting van vermoeidheid na zo'n spervuur van vragen.

'Zoals zoveel kinderen tegenwoordig is ook mijn dochter erg begaan met de wilde dieren en de natuur,' zei papa, die een beschermende arm om Aprils schouders sloeg. 'Als je ons ook maar iets over de beer kunt vertellen, zou ons dat enorm geruststellen.'

Vincent schoof zijn bril iets hoger op zijn neus en keek papa nu eigenlijk pas écht aan. 'Ik geloof niet dat ik jullie naam heb meegekregen.'

'Edmund Wood,' zei papa. 'En dit is mijn dochter, April.'

'Zei je nou April? April Wóód?' Vincent klapte zijn laptop meteen dicht. 'Toch niet dé April Wood?'

April slikte nerveus. Ze hield haar handen nog steeds op de balie gedrukt en in de weerspiegeling van Vincents bril zag ze een meisje met een vlekkerig gezicht en haar dat alle kanten op stond. Opeens besefte ze dat ze zich niet bepaald van haar beste kant had laten zien.

Ze wilde net haar verontschuldigingen aanbieden dat ze zomaar naar binnen was gestormd toen Vincent opsprong van zijn stoel om haar heel opgewonden de hand te schudden. 'Ik werkte destijds nog niet voor het Instituut, maar ik heb wel over je gehoord. Wij allemaal. Ze hebben je leeftijd er wel bij verteld, maar ik moet eerlijk bekennen dat ik me niet realiseerde hoe jong je bent.'

Zo onderhand was April er wel aan gewend dat volwassenen haar verrast aankeken en vaak onderschatten hoeveel zo'n jong iemand al had kunnen bereiken. Het was des te irritanter omdat volwassenen hun eigen prestaties juist altijd óverschatten.

'Jong, maar onvoorstelbaar dapper,' zei papa, die haar nog even extra stevig tegen zich aan drukte.

'Denk je dat het dezelfde beer is?' Vincent staarde April aan. 'Ben je daarom hierheen gekomen?'

April voelde zich ongemakkelijk. Ze had niet bedacht wat ze zou zeggen als ze met iemand anders dan Lise zou spreken. Ze had helemaal nergens over nagedacht. Ze was alleen die wilde, pure woede gevolgd die haar en haar vader hiernaartoe had geleid. Nu waren ze nog geen twaalf uur met hun missie bezig, en het leek allemaal al een stuk lastiger dan ze zich had voorgesteld.

'We hebben aanwijzingen die dat aannemelijk maken,' zei papa voorzichtig.

Vincent trok vragend een wenkbrauw op.

'Hij stond op zijn achterpoten en brulde vanuit de haven naar zee. Dat deed hij ook toen we afscheid namen. Dat is iets wat hij altíjd deed,' zei April, en ze wilde verdergaan, tot ze Vincents gezicht zag.

'Had je hem niet ook een naam gegeven? Zoiets meen ik me te herinneren.'

'Beer,' zei ze zacht.

'Beer,' herhaalde Vincent. 'Wat een bijzonder verhaal.'

April wilde zeggen dat het helemaal niet zo bijzonder was. Ze wilde zeggen dat vriendschap sluiten met Beer een van de meest natuurlijke, geweldige dingen op de hele wereld was. En dat het, anders dan bij mensen, helemaal niet lastig was geweest, maar juist eenvoudig en moeiteloos was gegaan, zo mooi dat ze nog steeds een steek in haar hart voelde.

Maar ze zei geen van die dingen. Niet omdat ze dat niet wilde, maar omdat Vincent haar nu op zo'n speciale manier aankeek.

'Als het dezelfde beer is, dan zou ik je onder geen enkele omstandigheid aanraden om hem te gaan zoeken, hoe goed de band die je met hem hebt opgebouwd ook was,' waarschuwde hij. 'Niet alleen omdat het onmogelijk is – heb je enig idee hoe groot het gebied is dat de eilanden van Spitsbergen beslaan? Je kunt nog beter zoeken naar een speld in een hooiberg. Maar ook omdat hij extreem gevaarlijk zal zijn als hij inderdaad gewond is. Er zijn steeds meer incidenten waarbij ijsberen mensen aanvallen.'

'Maar dat doen ze omdat ze verhongeren!' bracht April daar kwaad tegen in. 'Niet omdat ze het leuk vinden. Ze zijn genoodzaakt dichter bij de mensen te komen omdat ze voedsel zoeken!'

'Dat is zeker waar,' zei Vincent met een knikje. 'Maar je begrijpt dus hoe gevaarlijk dat is?'

'Beer zou me nooit kwaad doen,' zei April. 'Dat weet ik gewoon.'

'Ja, maar…' Vincent brak zijn zin af.

'Maar wát?'

Weer keek hij haar aan en toen begreep April de blik in zijn ogen pas. Het was geen ontzag of bewondering of ongeloof. Het was een blik van medelijden. 'Maar je ziet één belangrijk element over het hoofd,' zei hij zacht. 'Want wat als de beer zich jou niet meer herinnert?'

HOOFDSTUK NEGEN

EEN KILLE ONTMOETING

'Nee!' De kreet kwam zo schrapend uit haar mond dat April even twijfelde of hij wel van haar afkomstig was. Ze draaide zich met een ruk om en holde de deur uit.

'APRIL!' riep papa.

Zonder om te kijken, beende ze over de stoep weg, met de nagalm van Vincents woorden in haar hoofd.

Natuurlijk was Beer geen huisdier. Hij was een

wild dier. Een wild dier dat naar zijn natuurlijke leefgebied was teruggebracht. En in deze ruige, nieuwe wereld was het heel goed mogelijk dat hij zijn korte ontmoeting met een mens alweer was vergeten.

Zelfs al was het iemand die zoveel van hem hield als zij.

Was dat dan toch de reden dat hij nog niet was komen opdagen? Omdat hij niet eens meer wist wie ze was? Omdat hij haar was vergeten?

Ze moest een opkomende snik wegslikken. Ze wist heus wel dat Vincent het niet kwetsend had bedoeld. Hij leefde en werkte hier op Spitsbergen en had haar slechts op enkele praktische overwegingen willen wijzen. Niet alleen op de vraag of Beer zich haar nog wel zou herinneren, maar ook op het feit dat het heel moeilijk zou zijn om uit te vinden wat er met hem was gebeurd.

Maar ze zou haar zoektocht naar hem echt niet opgeven. Niet nu ze dat bloed had gezien. Ze zou het nóóit opgeven. Pas als ze zeker wist dat hij in orde was.

'Beer!' schreeuwde ze terwijl ze glibberend en glijdend door de sneeuw sjokte en alleen af en toe bleef staan om haar snotneus af te vegen. 'BEER!'

Ze bleef zijn naam maar roepen, en elke keer klonk haar stem wanhopiger. Ze wenste dat hij haar kon horen, waar hij ook was. Dat hij de straat in zou komen sjokken en haar de allergrootste berenknuffel ooit zou geven, zodat alles weer helemaal goed zou zijn.

Ze had zich inmiddels schor geschreeuwd en kwam slippend tot stilstand. Ze hijgde en haar borst bewoog op en neer. Ze keek verwilderd om zich heen. Waar was ze eigenlijk? Was dit de hoofdstraat? Of een heel andere plek? Dat was toch de heuvel? Waar hun hotel op stond? Hij zag er anders niet erg bekend uit.

'O nee.'

Op de een of andere manier had ze zonder dat te merken de rand van het stadje bereikt, waar steeds minder huizen stonden en de uitgestrekte noordpooltoendra begon. Hier rook de lucht zelfs al anders – wilder, intenser en op een of andere manier gevaarlijker.

Boven haar vormde zich een dreigende, dikke wolk en meteen voelde ze de temperatuur dalen. Alsof dat nog niet erg genoeg was, dwarrelden er grote, dikke sneeuwvlokken naar beneden. Duizend gedachten schoten door haar hoofd. Had ze maar naar papa geluisterd en eerst geschikte winterkleren gekocht. Was ze maar niet weggerend. Had ze er maar aan gedacht om de plattegrond mee te nemen.

April schaamde zich vreselijk. En naast de schaamte voelde ze nog iets – een steek van teleurstelling. Ze was teleurgesteld in zichzelf.

'Wat doe jij hier?'

De stem kwam als uit het niets en April maakte een sprongetje van schrik. Ze verloor haar evenwicht, gleed van de stoep en belandde in een diepe hoop sneeuw. Toen ze die eenmaal van haar gezicht had geveegd en opkeek, staarde ze recht in het gezicht van een oudere vrouw met grote grijze ogen en een huid die net verweerd leer leek. Ze droeg sneeuwlaarzen met fleecevoering en een jas die tot op haar enkels viel en zo te zien gemaakt was van aaneengenaaide lappen vilt en andere materialen. Er zat een dikke gevoerde capuchon aan vast. De oude vrouw had een rode slee bij zich.

'Ik… I-I-Ik…' stamelde April, maar het lukte haar niet om antwoord te geven. Haar tanden klapperden te hard om woorden te vormen. In plaats daarvan liep ze rood aan toen de vrouw haar zo priemend bleef aanstaren. Ze kwam langzaam overeind en probeerde niet te bibberen.

'Dat bord staat er niet voor niks!' De vrouw maakte een afkeurend geluidje en wees naar een rood waarschuwingsbord met ijsberen erop. 'Jullie toeristen komen maar naar dit uiteinde van de wereld en staan er geen moment bij stil hoeveel gevaar je loopt.'

April had een hele hoop dingen willen zeggen, maar bij de strenge frons van de vrouw verdorden de woorden en stierven ze weg op haar tong. Eén ding was zeker: ze zou beslist niet toegeven dat ze juist op zóék was naar een ijsbeer.

'H-H-Hoe kom ik weer bij mijn hotel?' vroeg ze in plaats daarvan.

'Niet lopend in elk geval. Zeker niet met die schoenen,' antwoordde de vrouw.

Voordat April antwoord kon geven, schudde de vrouw afkeurend haar hoofd. Ze trok haar jas uit en overhandigde die aan April. 'Pak aan,' zei ze kortaf.

April sloeg de jas dankbaar om zich heen en genoot van de warmte die haar onmiddellijk omwikkelde. De jas rook vreemd en tegelijkertijd had het iets geruststellends dankzij een sterke geur van iets wilds en muskusachtigs.

'Ik… Ik moet maar weer eens teruggaan,' zei ze, en ze keek om naar het stadje dat opeens wel heel ver weg leek.

'Ik breng je wel.'

Voordat April wist wat er gebeurde, had de oude vrouw haar op een of andere manier eigenhandig op de slee gezet. Zonder aarzeling knoopte ze het koord van de slee rond haar middel, bond

ze een stel ski's onder haar schoenen en liep ze de straat op.

April had sinds Bereneiland niet meer op een slee gezeten. Dat was een van de dingen die ze miste aan de zomer die ze hier had doorgebracht. Al was deze sleerit heel anders. Niet leuk of plezierig of voor de lol. De hele tocht lang sprak de vrouw geen woord tegen April, behalve om haar

te vragen naar de naam van het hotel. Toen ze bij de ingang aankwamen was de vrouw niet eens buiten adem, ook al had ze de slee een hele tijd heuvelopwaarts getrokken.

'Dwaas, roekeloos kind,' mopperde ze nog, en zonder op een bedankje te wachten trok ze de deur van het hotel open. 'Ik stel voor dat je maar snel naar binnen gaat. Of beter nog: teruggaat naar huis, waar je wel thuishoort.'

HOOFDSTUK TIEN

VERRASSING

Ook toen April veilig en wel in de warme ontvangsthal van het hotel stond, duurde het nog een paar minuten voor ze stopte met bibberen. Al waren de woorden van de oude vrouw snijdender geweest dan welke kou ook.

Ja, ze was onbeleefd geweest.

Maar ze had ook wel gelijk gehad.

April had zich halsoverkop naar Spitsbergen gehaast omdat ze dacht dat ze Beer wel even kon redden. Alsof ze een of andere superheld was. En in plaats daarvan was het juist April geweest die al op de eerste dag gered moest worden. Het rendier aan de muur staarde haar somber aan.

'Het spijt me, Hansel,' fluisterde ze.

Ze had geen idee waarom ze hem haar verontschuldigingen aanbood, maar bij gebrek aan Beer had ze iets of iemand nodig om sorry tegen te zeggen.

Het was duidelijk dat Beer niet meer in de buurt van het stadje was, en dat kon maar één ding betekenen: hij bevond zich ergens in de uitgestrekte wildernis van Spitsbergen. Ze had er zelf pas een milliseconde ervaring mee, maar dat was genoeg om te beseffen hoe gevaarlijk dit deel van het noordpoolgebied kon zijn. Dit was heel anders dan Bereneiland in de zomer. Spitsbergen was om te beginnen al vele malen groter: meer dan 61.000 vierkante kilometer die voor negenennegentig procent bestond uit ongerepte, woekerende wildernis. De Noorse naam van de eilandengroep, Svalbard, betekende letterlijk 'koude kust'. Het gebied bestond uit gletsjers, fjorden en ijsgrotten en was zo droog dat het officieel ingedeeld was als een arctische woestijn. Daarom werd het ook wel een toendra genoemd. Ze zou Beer onmogelijk kunnen vinden en ze had ook geen idee waar ze moest beginnen met zoeken. Zeker niet in hartje winter. En al helemaal niet in haar eentje.

Hansels roerloze gezicht leek het met haar eens te zijn dat het een belachelijk idee was.

Op dat moment ging de deur open en blies de koude winterlucht naar binnen. April zette zich schrap. Het was vast die oude vrouw die haar nog een keer op haar nummer wilde zetten en haar wilde inwrijven dat toeristen hier helemaal niets te zoeken hadden.

'April Wood! Daar ben je!'

Maar nee. Het was niet de oude vrouw.

Het was heel iemand anders.

April stond met haar rug naar de deur, maar ze verstrakte. Want dat hakkelende stemgeluid herkende ze uit duizenden – alleen kon ze haar oren bijna niet geloven. Ze draaide zich om en haar ogen werden groot, eerst van verbijstering en toen van opwinding.

'Tör?!'

Hij stond in de deuropening, gekleed in rode sneeuwlaarzen en een gitzwart skipak. Hij had zijn ski's in een van zijn handen en de sneeuw droop ervan af op de grond. Zijn sneeuwbril zat boven op zijn hoofd en zijn ogen fonkelden feller dan een zon.

April deed haar mond open en sloot hem weer. Het duurde even voor ze echt iets kon uitbrengen. 'Wat… Wat doe jij nou hier?'

'Dat lijkt me duidelijk,' zei hij terwijl hij zijn ski's tegen de muur zette. 'Ik was jou aan het zoeken. Dat schijnt een soort gewoonte te worden.'

Hij deed een aarzelende stap naar voren en bleef staan, waardoor ze elkaar een beetje ongemakkelijk aanstaarden. Ze hadden elkaar zo vaak geschreven dat het raar was elkaar nu ineens weer in de ogen te kijken. Het was alsof ze weer even moesten wennen aan de levensechte versie van de ander.

Maar toen stak hij zijn hand uit en ze pakte hem vast. Het voelde als een oud touw: veilig en geruststellend. Als een hand die haar altijd uit de problemen zou trekken.

Zo van dichtbij zag ze dat Tör een flink stuk was gegroeid – hij was nu een kop groter dan zij – en zijn gezicht was smaller en hoekiger geworden. Zodra hij haar zijn bekende grijns schonk, zag ze tot haar opluchting dat hij nog steeds diezelfde ietwat ondeugende jongen was als toen ze hem leerde kennen.

'Ik ben zo blij dat je er bent.'

Tör wilde net iets zeggen toen de deur weer openzwaaide. Deze keer was het haar vader die naar binnen stommelde, met Jurgen vlak achter hem.

'April! O, gelukkig, je bent in orde!' Haar vader greep haar bij haar schouders en drukte haar stevig tegen zich aan, waardoor ze het snelle kloppen van zijn hart kon voelen. Toen hij haar eindelijk losliet, zag April dat hij helemaal was ingepakt in warme winterkleren, alsof hij op het punt stond naar het noordelijkste puntje van de aarde te vertrekken. Bovendien leek hij helemaal niet verbaasd om Tör hier te zien.

'Papa? Tör?'

'Ik geloof dat jullie wat bij te kletsen hebben,' zei Jurgen die de verwarring op haar gezicht zag. 'Kom maar mee. In mijn kamer is het een stuk warmer.'

Met z'n vieren liepen ze onder het bordje met het woord PRIVÉ door naar Jurgens zitkamer. Die was verrassend knus ingericht en tot Aprils opluchting hingen hier geen opgezette dierenkoppen. Er stonden warme, comfortabele zitbanken, er was een oude staande klok en een kastje vol foto's van een jong meisje dat net iets ouder was dan April.

'Dat is mijn dochter, Svetlana,' zei hij toen hij April zag kijken. 'Ik zal even wat warms voor ons maken. Doe alsof je thuis bent.'

Jurgen verdween en April koos de bank vlak bij de open haard en trok haar benen op. Haar vingers en tenen kwamen langzaam weer tot leven, en terwijl ze opwarmde vertelden papa en Tör haar om de beurt het hele verhaal.

'Je rende het Poolinstituut uit en ik wist niet waar je naartoe was gegaan,' begon papa. Hij ijsbeerde over het kleed voor de open haard. 'Ik ging naar buiten om je te zoeken, en toen liep ik Tör tegen het lijf.'

'Het spijt me dat ik er zomaar vandoor ging,' zei April. 'Dat had ik niet moeten doen.'

Papa gaf haar een onbeholpen klopje op haar hand ten teken van zijn vergiffenis en Tör nam het verhaal van hem over.

'Je hebt me nooit verteld in welk hotel je verbleef, dus heb ik elk adres in de stad bezocht voor ik bedacht om naar het Poolinstituut te gaan. Ik kwam net aan toen je vader naar buiten stormde en zei dat je ervandoor was gegaan.'

'We hebben de straat afgezocht, maar er was nergens een spoor van je te bekennen,' ging papa verder. 'Toen stond Tör erop om me terug te brengen naar ons hotel, waar Jurgen me wat kleding heeft geleend. Vervolgens zijn we met z'n drieën gaan zoeken.'

'Ik dacht dat jij alweer met de boot mee was?' vroeg April aan Tör.

'Mijn vader had ook wel gewild dat ik weer mee terugvoer naar Noorwegen,' zei hij schouderophalend. 'Maar dat kon ik toch niet maken? Dit deel van de wereld is geen plek die jij gewend bent, zelfs niet na een zomer op Bereneiland. Ik dacht dat je wel wat extra hulp zou kunnen gebruiken.'

Haar vader wilde net weer iets zeggen, maar

hield het bij een schrapend keelgeluid. April vermoedde dat hij de waarschuwende woorden van Vincent van het Poolinstituut had willen herhalen.

Om hem voor te zijn, zei ze: 'Zelfs als Beer niet meer weet wie ik ben, dan nog zou ik hem duizend keer redden.' Ze stak haar kin omhoog. 'Want het is toch juist de hele bedoeling dat we dat doen?'

'Wé?' vroeg papa.

'Wij, de mensen!' antwoordde April ietwat gefrustreerd dat ze die dingen elke keer weer moest uitleggen. Het was toch logisch? 'Wij moeten voor de dieren zorgen. Maar dat doen we niet.'

'En dat is precies de reden dat ik tegen je vader zei dat hij jou je zoektocht moet laten voortzetten.'

'Páp!' April gromde. 'Je was toch niet van plan om nu alweer naar huis te gaan, hè? Niet na alles wat je zei toen we vertrokken?'

Papa bloosde er in elk geval wel bij toen hij ter verdediging zei: 'Dat is alleen maar omdat ik je vader ben en me zorgen maak. Ik wil dat je veilig bent. Maar Tör wees me erop dat je het me nooit zou vergeven als we nu weer weg zouden gaan.'

'Daar heeft hij gelijk in,' zei April. 'Ik kan Beer niet zomaar achterlaten. Dat wéét je.'

'Ja, dat realiseer ik me nu ook,' zei papa. 'En ik moet eerlijk zeggen dat ik me er een stuk beter bij voel nu Tör er is om ons te helpen. Maar April, je mag er beslist niet meer in je eentje vandoor gaan. Beloofd?'

Papa zag er zo moe uit, met zijn wenkbrauwen gefronst tot er een plooi in het midden verscheen, dat Aprils maag samentrok van schuldgevoel. Ze wist dat hij bezorgd was, en nu ze waren teruggekeerd, dacht hij waarschijnlijk ook steeds weer aan het moment dat ze bijna was verdronken. Die herinneringen werden bij haar ook aangewakkerd. 'Ik beloof het.'

'Goed zo, dan staan alle neuzen dezelfde kant op,' zei Tör opgewekt. 'Dus, wat zijn we tot nu toe te weten gekomen?'

Papa en April vertelden Tör wat ze sinds hun aankomst gisteravond hadden ontdekt, al was dat bar weinig.

'Ik heb zelf ook wat onderzoek verricht,' zei Tör. 'Net ten noorden van de Wijdefjord bevindt zich een flinke groep vrouwtjesijsberen.'

'Daar zit Lise!'

'Maar na nog wat meer speurwerk heb ik bedacht dat die reis te ver is voor een gewonde beer.'

'Met andere woorden, hij zal dus nog relatief dichtbij zijn,' zei papa.

'En daarmee komen we bij Sabineland,' zei Tör. 'Aan de oostkust van Spitsbergen. Dat is minder ver en blijkbaar zijn er kortgeleden nog mannetjesijsberen in dat gebied gezien.'

'Denk je dat Beer daar misschien naartoe is gegaan?' vroeg April hoopvol.

'Het is de meest voor de hand liggende aanwijzing die we hebben,' zei Tör schouderophalend.

'Het is de énige aanwijzing die we hebben,' antwoordde papa fronsend.

'Dat betekent dat we nu naar hem moeten gaan zoeken,' verklaarde April. 'We moeten daarnaartoe!'

'Ja, maar om dat te kunnen doen, moeten we ons eerst goed voorbereiden, April,' zei papa met een stem die verraadde dat hij zich had neergelegd bij het onvermijdelijke.

'Daar heeft je vader groot gelijk in,' zei Tör. 'We moeten ons uitrusten met de juiste kleren en spullen voor het koude weer, en we moeten een geschikte gids vinden. Ik ken Longyearbyen en dat was het. We hebben iemand nodig die de toendra op z'n duimpje kent. Iemand die ons kan helpen Beer te vinden.'

Op dat moment klonk er een luid gekletter in de deuropening. Jurgen was verschenen met een dienblad vol bekers warme drank, maar dat liet hij opeens vallen. 'Gaan jullie op zoek naar een vermiste ijsbeer?'

HOOFDSTUK ELF

VOORBEREIDINGEN

Nadat de gemorste drank was opgedweild en Jurgen een verklaring was toevertrouwd, begonnen zijn ogen te stralen met een koortsachtige opwinding.

'Dus jij hebt serieus een ijsbeer gered?' riep hij uit. 'Ik wist wel dat er iets bijzonders aan jou was. Dat zie je in iemands ogen, weet je dat? Ik herken het meteen. O, Svetlana zou dit echt geweldig hebben gevonden! Die had ook een zwak voor de beren. Ze zei altijd dat we beter voor hen moesten zorgen. En jij zegt dat je nu op jacht bent naar een van hen?'

'Niet op jácht,' zei April en meteen dacht ze aan die arme Hansel. 'We zijn naar hem op zóék.'

'Natuurlijk, natuurlijk. En vergeef me dat ik dit vraag, maar jullie waren toch niet van plan om er alleen op uit te gaan, hoop ik?'

'We zullen enige assistentie nodig hebben,' zei papa. 'Misschien kun je ons iemand aanbevelen?'

'Vanzelfsprekend! Ik weet precies wie je hiervoor moet hebben! De gemeenschap is hier zo klein dat we van elkaar zelfs weten wat we hebben ontbeten!' Jurgen grinnikte om zijn eigen grapje, voor hij een van de laatjes in een kastje opentrok en een pot met snoepjes presenteerde. 'Wil iemand misschien een anijssnoepje? Je moet ervan houden, maar ik ben er dol op!'

'O!' riep papa uit. 'Nou, heel graag zelfs!'

'Ennn...?' spoorde April hem aan, al probeerde ze niet heel ongeduldig te klinken. 'Wie had je in gedachten?'

'Ah,' zei Jurgen. 'Haar naam is Hedda. Ze is een vrouw van weinig woorden. Ik denk dat ze meer tegen haar honden praat dan met mensen. Maar de Noordpool zit haar in het bloed en ze stamt af van een lange lijn spoorvolgers.'

'Spoorvolgers?' herhaalde April, en nu begonnen haar ogen te fonkelen. Want ze wist precies wat een spoorvolger deed. Ze had een hele pagina in haar notitieboekje aan hen gewijd. Een spoorvolger was iemand die dierensporen volgde – geuren, pootafdrukken, plukjes vacht… zelfs poep. Vroeger waren de spoorvolgers ook jagers, maar tegenwoordig waren ze vooral gidsen voor de toeristen of toezichthouders die de wilde dieren in de gaten hielden.

'Ze werkt met husky's en organiseert ritten met de hondenslee voor toeristen. Dat gebeurt hier wel vaker, zoals je je kunt voorstellen,' zei Jurgen. 'Ze kent de oostelijke regio van Sabineland beter dan wie ook. Als iemand jullie kan helpen, dan is het Hedda wel. Maar één waarschuwing wil ik jullie wel meegeven: ik zou haar maar niet vertellen dat jullie op zoek zijn naar een vermiste ijsbeer.'

'Waarom niet?' vroeg April. 'Het is toch eenvoudiger en eerlijker als ze dat weet?'

'Omdat de meeste mensen die hier wonen er heilig van overtuigd zijn dat de beren ver uit de buurt van de bewoonde wereld moeten blijven,' zei Jurgen langzaam, alsof hij zijn woorden zorgvuldig koos. 'En sommige mensen, zoals Hedda, denken dat het slechts een kwestie van tijd is voordat er iemand gewond raakt. Ze zou het nooit goedkeuren als je probeerde te dicht bij een ijsbeer te komen.'

'Is er niemand anders die kan helpen?' vroeg papa.

'Niemand met zoveel ervaring als Hedda, nee.'

Tör, April en haar vader keken elkaar aan voordat ze knikten.

'Dan zal ik dat voor jullie regelen,' zei Jurgen en hij wreef opgewonden in zijn handen. 'Ik zal wel zeggen dat jullie een toeristisch avontuur willen beleven – een slederit onder het noorderlicht! Ze zal niet vermoeden dat jullie andere plannen hebben.'

Hedda was nogal onwillig geweest om op zo'n korte termijn iets te doen, maar ze was Jurgen blijkbaar nog een gunst verschuldigd, en stemde er uiteindelijk toch mee in om hen alle drie mee te nemen op een driedaagse winterse excursie naar de oostkust van Spitsbergen, onder het mom dat ze graag het noorderlicht wilden zien.

Ze zouden morgenochtend vroeg vertrekken.

Jurgen legde de hoorn neer en gaf hun alle informatie door. April voelde een tinteling van opwinding door haar lijf gaan. Deels vanwege het avontuur dat hun te wachten stond, en deels omdat ze een reis zouden maken door onbekend gebied. Maar boven alles ging het om de mogelijkheid dat ze Beer zouden vinden.

Ze hoefden nu alleen nog maar voorbereidingen te treffen.

Gelukkig had Jurgen toegezegd dat papa zijn kleren ook kon lenen voor de expeditie, en hij had er een paar sneeuwlaarzen bij die zelfs aan papa's ongelijke voeten pasten. Tör had alles al bij zich wat hij nodig had. Nu April nog.

'Je vriest nog dood zo!' zei Tör hoofdschuddend.

'Ik wist wel dat we eerder hadden moeten gaan,' mopperde papa. 'De winkel zal ongetwijfeld al gesloten zijn.'

'Hmm, misschien kan ik daarbij ook nog wel van dienst zijn,' zei Jurgen, die April met toegeknepen ogen aanstaarde. Hij gebaarde dat ze hem moest volgen naar een opslagruimte naast de hal, die helemaal volgepropt was met winterkleding en sneeuwspullen. 'Dit is nog van Svetlana,' zei hij, wijzend naar een wat kleiner pak dat in de hoek hing. 'Ik... Ik laat het hangen voor als ze een keer op bezoek komt. Je mag het zonder meer lenen.'

'Mag dat echt?'

'Svetlana zou het niet anders willen,' antwoordde Jurgen, en hij glimlachte droevig naar April.

April herkende die glimlach – die hoorde bij iemand die deed alsof hij niet eenzaam was.

'Haar moeder is ingenieur,' zei Jurgen, die aan zijn zakhorloge frummelde. 'Uiteindelijk wilde ze meer dan deze kleine gemeenschap haar te bieden had. Maar voor Svetlana... Dit was haar thuis. Hoe dan ook, jullie zijn ongeveer even groot,' zei hij, en hij schudde de bedroefdheid van zich af voor hij diverse kledingstukken een voor een over Aprils uitgestoken armen drapeerde. Hij had basislagen, waterdichte kleding, fleecelaagjes, een gevoerde lange jas, twee paar handschoenen, een muts met voering, een warme sjaal en een sneeuwbril voor haar. En tot slot pakte hij voorzichtig een roomkleurige sweater met een ronde, opstaande kraag van een kleerhaak, geweven van de fijnste merinowol en versierd met een rij ijsberen. Ook die overhandigde hij haar. 'Dit was haar

lievelingstrui. Ik weet zeker dat ze zou willen dat jij die aantrekt.'

Nadat Jurgen weer was vertrokken en April zich had aangekleed, staarde ze naar zichzelf in de spiegel. Ze zag er drie keer breder uit dan gewoonlijk. En voor het eerst sinds ze weer op de Noordpool was, had ze ook het gevoel dat ze haar missie aankon.

Al moest ze eerst nog iets anders aan...

Jurgen, papa en Tör kwamen de hal binnen en April keek bezorgd om.

'Ik heb geen sneeuwlaarzen!'

'O, wacht,' zei Jurgen meteen. 'Svetlana heeft vorige winter een paar gekocht en hier achtergelaten.'

Hij rommelde wat door een stel kartonnen dozen op de grond en gaf er toen een aan haar.

April tilde het deksel op en voelde dat de anderen zwijgend naar haar keken.

In de doos zat een paar regenbooglaarzen met voering.

HOOFDSTUK TWAALF

HEDDA

De volgende ochtend vroeg, lang voordat de zon was opgestaan, stapten ze aan boord van Jurgens sneeuwmobiel en begaven ze zich naar Hedda's huisje. April hoorde de keffende, grauwende en blaffende husky's al voordat ze de motor hadden uitgeschakeld. Het huis was gebouwd van stevige balken en stond een eindje achter een bord dat waarschuwde voor ijsberen. De voordeur bevond zich aan de kant van de wildernis, alsof het huis op wacht stond om alles in de gaten te houden en het dorp indien nodig te beschermen.

Ze waren langs diverse huizen gereden die er warm en knus uitzagen, met hier en daar wat chintz gordijnen en zoet ruikende rook die uit de schoorstenen kringelde. Maar dit huis was heel anders; het was kaal en hoekig en gehuld in duisternis. Er lag een hoopje in de war geraakte rendiergeweien en er hing gedroogde vis aan haken op de veranda.

'Is daar iemand?' vroeg papa nerveus.

'Daar komen we maar op één manier achter!'

Ondanks de vlinders in haar buik marcheerde April naar de voordeur en ze tilde de zware ijzeren klopper op. Hij had de vorm van een huskykop. Toen ze hem op de dikke houten deur liet vallen, leverde dat een nieuwe ronde geblaf en gegrom op van de honden. De anderen kwamen achter haar staan en wachtten af toen de voordeur langzaam maar zeker krakend openging.

Zodra April het gezicht zag dat door de kier naar buiten keek, voelde ze hoe de moed haar in de schoenen zonk. Wat een pech! Het was die vrouw van gisteren.

'Hédda?' vroeg ze en ze slikte.

'Jij!' mompelde de oude vrouw.

'Hebben jullie elkaar al ontmoet?' vroeg Jurgen verbaasd.

'Heel kort,' antwoordde Hedda kortaf.

'Dan zal ik jullie nu even officieel aan elkaar voorstellen. Dit is April, haar vader Edmund en tot slot Tör,' zei Jurgen. 'Hedda zal jullie gids zijn naar Sabineland.'

Hedda liet haar blik langzaam van de ene persoon naar de ander gaan voordat haar ogen op April bleven rusten. Ze keek haar aan met een felle, onderzoekende blik die niet meteen vriendelijk te noemen was.

'Je hebt me niet verteld dat er een kind bij was,' zei ze fronsend. 'Ik kan haar in deze tijd van het jaar onmogelijk meenemen de toendra op. Dat is veel te gevaarlijk.'

April maakte zich zo groot als ze kon en keek Hedda recht in de ogen. Ze hadden de kleur van een wolvenvacht en onweerswolken. 'Ik ben niet bang voor gevaar.'

Als ze dacht dat dit enig effect zou hebben, dan had ze het mooi mis. Of in elk geval niet het gewenste effect, want Hedda proestte het uit van het lachen. 'Dat is zeer bewonderenswaardig, maar de Noordpool is de strengste test van allemaal. Dit gebied maalt niet om de emoties in je hart of hoe sterk je bent, het trekt zich niets aan van hoeveel geld je hebt. Het enige wat telt is of je het in je hebt om de ruigste, onherbergzaamste plek op de hele wereld te overleven. En jij hebt al bewezen dat je die uitdaging niet aankunt.' Hedda wilde de deur al sluiten.

'Dan ken je mijn dochter dus totaal niet,' zei papa, en hij zette zijn voet tussen de deur, zodat hij niet dicht zou gaan. 'Want anders zou je weten dat zij van ons allemaal veruit de dapperste is.'

Hedda kneep haar ogen halfdicht, maar zei niets.

'Laat me mezelf bewijzen,' zei April zacht. 'Alsjeblieft?'

Hedda zweeg nog steeds. April voelde haar hart tekeergaan en tegen haar ribben bonzen. Ze waren al zo ver gekomen, het zou wel erg wreed zijn als al hun plannen nu in duigen vielen.

'Goed, ik zal met jullie gaan. Maar geen drie nachten. Hooguit twee. En daar blijf ik bij.'

Nadat ze er zeker van konden zijn dat Hedda niet weer van gedachten zou veranderen, nam Jurgen afscheid. Hij gaf papa nog wel een handvol anijs-snoepjes mee, en April kreeg een zakje pinda's.

'Daar krijg je energie van,' zei hij terwijl hij op zijn sneeuwmobiel klom. 'Ik zie jullie weer als jullie terug zijn. Na een succesvolle reis!'

Zodra hij ervandoor was gegaan, bracht Hedda hen naar een tuin vlak achter haar huis, waar de honden waren. Aprils ogen schitterden; ze had nog nooit zoveel honden bij elkaar gezien! Er stond een hoog gaashek om de tuin heen waarin minstens dertig houten hondenhokken op palen waren neergezet. In elk hok woonde een prachtige husky – sommige waren donkerbruin, sommige hadden de zilveren glans van de maan en andere waren een mengeling van die twee. Op elk hok stond een andere naam. Het hok het dichtst bij haar was van een gigantische bruine hond die Bo heette. April kon zich niet inhouden en gaf hem een zacht klopje op zijn kop.

Nadat Hedda hun had uitgelegd dat husky's dankzij een groter uithoudingsvermogen en een gewenning aan de kou heel anders waren dan de huisdieren zoals zij die kenden, gebaarde ze dat iedereen dichterbij moest komen staan.

'Er zijn drie belangrijke regels waaraan jullie

je moeten houden,' zei ze op bevelende toon terwijl ze naast het hok van Ripley ging staan. 'Regel nummer één, en meteen ook de belangrijkste regel van allemaal: je gaat er niet in je eentje vandoor. Je wilt niet verdwalen op de Noordpool, want de kans is zeer groot dat niemand je ooit nog zal vinden. Niet levend, in elk geval,' vulde ze aan met een grimmige grijns. 'Zodra we uit het dorp vertrekken, moet je te allen tijde bij je slee blijven. Begrepen? De honden kennen dit gebied een stuk beter dan jullie en zij zijn erop getraind om jullie in veiligheid te brengen.'

April keek heel even opzij naar papa, die er opeens heel bleek uitzag.

'Regel nummer twee,' ging Hedda verder. 'Als we een ijsbeer zien, ga je er níét naartoe. Er zijn op Spitsbergen zeer strikte veiligheidsregels van kracht als het om ijsberen gaat, en het is van levensbelang dat je je aan die regels houdt.'

April deed haar mond open om iets te zeggen, maar na een felle por in haar ribben van Tör klapte ze hem weer dicht. In plaats daarvan balde ze haar handen langs haar zij tot vuisten om haar woede af te reageren.

'En regel nummer drie?' vroeg papa, terwijl

zijn adamsappel nerveus op en neer bewoog. 'Je zei dat er drie regels waren.'

'Regel nummer drie.' Hedda keek hen allemaal een voor een aan. 'Zorg ervoor dat je de honden zorgvuldig vastbindt als je ergens stopt.'

Zodra ze meende dat de regels tot iedereen waren doorgedrongen, ging ze over op de praktische instructies over hoe je op een slee moest rijden. Zo moest degene die stuurde altijd een voet op de rem houden wanneer de slee stilstond. Terwijl ze dit uitlegde, liepen de honden opgewonden heen en weer en in rondjes. Ze kwispelden en hun ogen schitterden bij het vooruitzicht op een avontuur.

'Het aantal honden per slee hangt af van het gewicht van die slee. In principe heb je twee trekkers vlak voor de slee, een groter team en een leider. Alle honden werken samen als team, maar zonder leider zal de roedel diverse kanten tegelijk op willen en dan kom je niet vooruit. De leider moet dapper genoeg zijn om de route te kiezen en de andere de moed te geven hem te volgen.'

'Maar hoe kies je die leider dan uit?' vroeg April nieuwsgierig. 'Hoe weet je welke hond je moet nemen?'

Hedda keek haar vernietigend aan. 'Die kies je

op dezelfde manier als dat je alle leiders kiest. Dat bepalen ze zelf. Laten we nu geen tijd meer verspillen.'

Hedda deelde instructies uit om de sledes gereed te maken. Er moest van alles mee, waaronder slaapzakken, warme dekens en tenten, maar ook een behoorlijke hoeveelheid kookgerei, voedsel en water voor henzelf en voor de honden, plus medische spullen. Veel daarvan had Hedda al ingepakt, dus hoefden ze alleen de spanbanden aan te trekken en te zorgen dat alles stevig op zijn plek zat.

Papa en Hedda zouden samen een slee nemen, die werd getrokken door een enthousiast kijkende Ripley. April en Tör namen de andere slee en kregen Finnegan als leider. Hij had een glanzend zilveren vacht en intelligente blauwe ogen. April was blij te zien dat ze ook Bo in haar team had.

'De honden in de volgslee zijn getraind om de eerste slee te volgen, maar als je in de problemen zou raken, dan zit er een veiligheidspakket op je slee met daarin een satelliettelefoon, een mes, een fluitje en een seinpistool met lichtkogels. Je vindt daarin ook noodrantsoenen voedsel, water en kleren en spullen om vuur mee te maken.'

Hedda verdween in het huis en keerde terug

met een bijl onder haar ene arm, en een seinpis-tool en schrikbarend genoeg, een geweer, in haar andere hand.

April slikte. Ze wist wel dat het verplicht was om op Spitsbergen een wapen te dragen, maar nu ze het met eigen ogen zag, voelde ze haar maag verkrampen.

Veel tijd om het ongemak te verwerken was er niet, want de sledes waren driedubbel nagekeken door Hedda en de honden hadden hun tuig om. De slee van Tör en April werd getrokken door ne-gen honden, die van Hedda en papa door elf. Alle honden blaften en trokken al aan hun harnas. De zon kon elk moment opkomen en het was tijd om te vertrekken.

Achter Hedda ving April een glimp op van haar vaders lijkbleke gezicht. Ze wilde iets roepen om hem gerust te stellen, maar de honden maakten zoveel kabaal dat ze zichzelf niet eens kon horen nadenken.

'MARS!' riep Hedda.

De honden aan beide sledes blaften en grom-den en snelden opeens naar voren in een explosie van kracht en snelheid. Ze waren onderweg.

April keek een laatste keer over haar schouder

en zag de felle lichten van het stadje langzaam in de verte verdwijnen, tot het allerlaatste geknipper verdween en de duisternis om hen heen neerdaalde. Binnen enkele ogenblikken hadden ze het veilige stadje met alle gemakken en voorzieningen achter zich gelaten.

Het ware noordpoolavontuur kon beginnen.

HOOFDSTUK DERTIEN

HONDENSLEE

Naarmate de zon opkwam leek het pad dat de honden aanvankelijk volgden een veelgebruikte weg. Ze kwamen door een bergengte met rotswanden die links en rechts omhoogstaken, al durfde April niet zo goed omhoog te kijken.

Tör was op het vasteland van Noorwegen al veel vaker met een hondenslee op pad geweest, en had erop gestaan dat April zou sturen om ervaring op te doen. Ze hield haar knieën gebogen zoals Hedda haar had aangeleerd, maar toch was het een stuk zwaarder dan het leek; het kostte haar al haar kracht en concentratie om overeind te blijven. Ze had nog nooit geskied, was niet erg goed in schaatsen en was het ook niet gewend om in zo'n onbeweeglijke houding te blijven staan. Haar armen waren stijf en haar handen zaten stevig om de stang geklemd. Te stevig. De honden voelden haar ongemak en begonnen uit formatie te raken.

'Sorry,' mompelde ze. 'Ik weet dat ik me iets meer moet ontspannen.'

'Je moet wat losser staan!' riep Tör door de wind heen in haar oor. 'Weet je nog wat je ooit tegen mij zei? Je moet je voorstellen dat je van water bent.'

Ook al kon ze Törs gezicht niet zien, ze glimlachte toen ze terugdacht aan hun allereerste ontmoeting op het schip, toen ze hem adviezen gaf over hoe hij zich moest ontspannen in de buurt van dieren. Ze beeldde zich in dat haar armen en benen wat slapper werden, meer als een boom in de wind, en er wortels vanuit haar voeten de aarde in groeiden. Na een poosje begon April zich al wat meer te ontspannen en aan het gevoel te wennen.

Ze hield de stang nog steeds goed vast, maar niet meer te stevig. Ze werd meer één met de natuur.

Want als April Wood ergens goed in was, dan was dit het wel.

Met haar isolerende kleding en gevoerde sneeuwlaarzen voelde ze zich beschermd tegen de bijtende wind die langs haar oren blies. De ijzers van de slee zoefden over de sneeuw en boven hun

hoofd strekte de onmetelijke hemel zich uit. Ze liet alle spanning uit haar armen en benen vloeien en voelde die beweging door haar heen stromen. Eén kort, verbluffend ogenblik lang was het net alsof ze het verlengstuk was van het huskyteam – alsof ze niet op de slee stond, maar een van de roedeldieren was die dwars door de noordpoolsneeuw rende.

Aan dat moment kwam abrupt een einde toen Bo en Coco – de beide trekkers van de slee – afgeleid raakten door haar losse grip op de teugels. Ze voelden aan dat haar aandacht was afgegleden. Hun lijnen raakten door elkaar en voor ze het wist lag ze met haar gezicht in de sneeuw.

'Je moet met de honden samenwerken, April,' riep Hedda fel vanaf haar eigen slee. 'Je kunt niet van ze verwachten dat zij al het werk alleen doen.'

Aprils wangen kleurden rood nu ze een standje kreeg. Ze was hard op haar knie gevallen, maar klom weer terug en concentreerde zich de paar uur daarna uitsluitend op de honden, maar wel in een iets meer ontspannen houding. Zo reisden ze verder door dalen en valleien, aan alle kanten omringd door steile bergtoppen.

Het was heel anders dan thuis, waar het landschap zo af en toe werd onderbroken door een boom, een heg of een rij huizen. Hier was alles kaal en stil en levenloos. Zelfs met alle sneeuw overal was het duidelijk dat er nergens planten, bomen of andere opvallende gewassen groeiden.

April was al eerder in het noordpoolgebied geweest, maar begon nu te beseffen dat ze de ware Noordpool nog niet had leren kennen. Dit was anders. De Noordpool in de winter was geen vriendelijke, hartelijke plek. Het was een uitgestrekte, stille wereld vol vreemde, verdraaide schaduwen en bestond uit een landschap dat niet eens op aarde thuis leek te horen.

Afgezien van de hijgende honden gleden de beide sledes in stilte verder. Er was niet veel meer te zien dan hun eigen schaduwen. Het mennen was hard werken en April voelde zich niet alleen uitgeput, maar al haar spieren deden pijn. Toen ze stopten voor een lunchpauze, liet ze zich van de slee vallen en nam ze dankbaar een hurkende houding aan.

'Jullie moeten de honden voeren, het harnas losmaken, het ijs weghalen dat er inmiddels aan zit en hun sokken verschonen. Tijdens mijn sleeritten komen de honden altijd op de eerste plaats,' beval Hedda iedereen.

April voelde zich meteen schuldig. De husky's waren dol op lange afstanden rennen, maar het was nog steeds belangrijk dat er goed voor ze werd gezorgd. Ze gaf elke hond van haar team wat aandacht en fluisterde een bedankje in hun oren. Pas nadat ze allemaal voer en water hadden gekregen en in een beschermende kring rond de groep waren gezet, pakte Hedda hun eigen benodigdheden tevoorschijn. Ze begonnen met wat warme vegetarische soep met een dikke plak roggebrood. 'Hier,' bood Hedda aan toen de soep op was. 'Gedroogd rendiervlees.'

'Nee, bedankt,' zei April. Ze pakte in plaats daarvan haar zakje pinda's en knabbelde daarop.

'Op ongeveer drie uur hiervandaan is een hut,' zei Hedda. 'Daar gaan we naartoe en daar zullen we de nacht doorbrengen.'

De honden mochten snel een dutje doen en hun staarten kwispelden in hun dromen. Hedda zat ondertussen zwijgend voor zich uit te staren in de verte, met een behoedzame uitdrukking op haar gezicht. Ze had haar bijl op schoot liggen en het geweer en het seinpistool vlak naast haar.

April wist waarvoor ze op haar hoede was. Maar toch kon ze het niet laten om de vraag te stellen.

'Ben je ergens naar op zoek?'

'Ik hou mijn ogen open voor het geval er ijsberen zijn.'

April wist dat een lichtkogel een beer geen pijn zou doen. Het schot maakte een hele hoop herrie en de kogel gaf fel licht af. Het was vooral bedoeld

om ze bang te maken. Maar als dat niets uithaalde…

'Dan schiet je ze in het hart,' zei Hedda, alsof ze
Aprils gedachten kon lezen.

HOOFDSTUK VEERTIEN

CHOCOLADE EN SCHONE KLEREN

De houten hut was klein, maar had een verrassend knusse uitstraling. Hij rook naar
kampvuur en stond in het midden van een onbe-
woond en verlaten gebied. Vroeger werd de hut
gebruikt door jagers, met name door pelsjagers
die lange winters op Spitsbergen doorbrachten
om zeehonden, poolvossen en ijsberen te vangen
voor hun vacht. Tegenwoordig werd de hut benut
vanuit een vreedzamer oogpunt, namelijk om on-

derdak te bieden aan wie dapper of dwaas genoeg was om naar het noordpoolgebied af te reizen.

Hedda had de hele dag voornamelijk bevelen gegeven en hen zo af en toe gewezen op een spoor van een rendier of vos, verder had ze amper drie woorden met hen gewisseld. En toch had April bewondering voor haar bekwaamheid om hen hiernaartoe te brengen. Anders dan thuis stonden hier nergens wegwijzers, waren er geen wegen of opvallende routemarkeringen. Er waren alleen lagen en lagen sneeuw en ijs, en aangezien de kortstondige winterzon inmiddels alweer was ondergegaan, glinsterden de sterren boven hun hoofd.

Toen de beide sledes eindelijk gearriveerd waren, was April zo moe dat ze amper nog kon lopen. Maar iedereen wist nu wat er moest gebeuren: de honden moesten eerst voer en water krijgen, en aangezien het avond was, moesten ze ook een veilige plek hebben om de nacht door te brengen. Hedda had ondertussen haar bijl weer gepakt en was druk bezig de verse sneeuw voor de deur van de hut weg te halen.

De hut was karig, maar toch uitnodigend ingericht. Er waren twee grote houten planken aan een van de muren vastgemaakt waarvan April vermoedde dat het bedden voorstelden. In het midden van de kamer stond een kleine metalen kachel en aan haken aan de wanden hing allerlei gerei en gereedschap: ijspriemen, bijlen en kookgerei. Het was er wel koud. Heel erg koud, zelfs. Het eerste wat Hedda deed was de kachel aansteken.

'Zie je dat alles al helemaal is klaargezet?' vroeg ze aan de groep die er zo uitgeput omheen stond dat geen van hen het kon opbrengen om te reageren. 'Dat is een van de regels op Spitsbergen. Laat de hut altijd zo achter dat alles gebruiksklaar is voor de volgende reiziger.'

Aangezien Tör van alle drie nog het helderst was, vroeg Hedda hem om een rode ketel te vullen met sneeuw. Toen hij de hut verliet, pakte Hedda haar rugzak uit en liet papa zich vermoeid op zijn hurken zakken. 'Gaat het wel?' fluisterde April tegen hem. Hij had al urenlang niets gezegd en leek in een soort shocktoestand te verkeren. 'Wil je misschien een lekker kopje thee?'

Papa knikte zwijgend. April had hem nog nooit zo ellendig zien kijken. 'Ik neem niet aan dat er hier ergens een platenspeler te vinden is, hè?'

Ondanks de omstandigheden moest April ineens schateren. Het geluid was zo plots en luid dat het als een donderslag tegen de wanden van de hut echode. Hedda fronste haar wenkbrauwen.

'Wat denk je dat je aan het doen bent?' April dacht even dat Hedda het tegen haar had, maar haar felle blik was gericht op haar vader, die zich in een hoopje op de grond had laten zakken.

'Ik laat mijn oververmoeide lijf even bijkomen,' zei papa.

'Je moet je eerst verkleden,' zei ze tegen hem. 'We moeten onze laarzen schoonmaken, alle natte kleren uittrekken en iets warms aandoen. Het zijn dit soort handelingen die je leven redden in dit gebied. Als je er geen zin in hebt is dat juist het moment dat je die zin maar moet maken.'

Papa zuchtte. April wist dat Hedda gelijk had, maar ze zou het ook weleens wat vriendelijker kunnen brengen. Ze gaf papa een kneepje in zijn hand en hoopte dat hij de betekenis ervan begreep. Het was tenslotte niet zijn idee geweest om dit avontuur aan te gaan.

Zodra het vuur flink brandde, namen ze met z'n vieren eromheen plaats om van de warmte te genieten. Hedda had herhaaldelijk gewaarschuwd voor het gevaar van ijsberen die voedsel ruiken, en aangezien ze dichter bij het ijsberengebied waren, controleerde ze nog even goed dat iedereen veilig en wel in de hut was en de deuren stevig dichtzaten voordat ze de ketel op het vuur zette. Zodra het water twee keer was gekookt, zodat het echt schoon was, schonk Tör thee in stalen bekers. April klemde haar vingers rond de beker en nam een klein slokje. Ze was al geen fan van thee, en dit smaakte nogal slap en metaalachtig.

Misschien kon ze haar ogen dichtdoen en zich verbeelden dat het warme chocolademelk was.

Ze kon het bijna ruiken. Suikerzoet en melkachtig. Toen ze haar ogen opende, knipperde ze een paar keer verrast. Hedda had een chocoladereep in haar handen die ze zorgvuldig in vier stukken brak. Ze gaf April het eerste stuk.

'Voor jou. Je hebt hard gewerkt vandaag.'

'Bedankt!' zei ze, zo verbaasd door de vriendelijke woorden dat ze bijna vergat hoe ze moest praten.

Tör brak zijn kwart in nog kleinere stukjes. Hij at er eentje van en bewaarde de rest voor later. Hedda at haar stuk heel systematisch, vierkantje voor vierkantje, terwijl papa gulzig zijn tanden in zijn deel zette. April brak een klein stukje af en stopte het in haar mond. Ze zuchtte tevreden toen het smolt en besloot dat ze de rest voor Beer zou bewaren.

Mits hij in orde was, natuurlijk. Ze had de hele dag haar oren gespitst en rondgekeken naar een spoor van hem, maar ze had nog niets gehoord. Haar binnenste kriebelde nerveus, net als vlak voor een proefwerk of een lange reis. Opeens smaakte de chocola heel bitter.

'Het is nogal bewolkt, dus ik denk niet dat we het noorderlicht vanavond zullen zien,' zei Hedda, waarmee ze April weer uit haar gedachten haalde. 'Misschien, met een beetje geluk, gaat het morgen beter.'

'Ik hoop dat we het te zien krijgen,' zei papa dromerig, alsof hij de ware reden dat ze hiernaartoe waren gekomen was vergeten. 'Herinner je je de middernachtzon nog, April?'

Ondanks de knopen in haar maag moest April glimlachen bij de herinnering. Samen op Bereneiland naar de middernachtzon kijken was een van de weinige geluksmomenten die ze daar met haar vader had gedeeld. 'Wanneer de zon nooit gaat slapen, maar de hele nacht wakker blijft.'

'Het noorderlicht is het tegenovergestelde,' antwoordde hij, en nu begonnen zijn ogen te stralen. 'Alhoewel de energie voor al dat licht wel afkomstig is van de zon. De zon creëert namelijk zonnewind, weet je. En de naam aurora borealis, de wetenschappelijke benaming van het noorderlicht, is een samenstelling van die dingen: *aurora* is het ochtendlicht en *borealis* betekent "van de Noordenwind".'

'Ik heb het al een paar keer eerder gezien,' zei Tör. 'En elke keer weer is het bijzonder. Iets wat iedereen echt een keer meegemaakt moet hebben.'

En ook al was April gekomen om Beer te vinden, ze stuurde toch stilletjes een wens naar het universum waarin ze vroeg deze vreemde, wonderbaarlijke lichten ook te mogen zien.

'Een van de mooiste geschenken van de natuur. Een van de weinige dingen die zelfs de mens niet kan verzieken.' Hedda slaakte een diepe zucht. 'In tegenstelling tot de Noordpool.'

'Welke veranderingen heb jij allemaal meegemaakt?' vroeg papa nieuwsgierig. 'Ik heb een zomer doorgebracht op Bereneiland om de temperaturen daar te meten. Maar ik vraag me af hoe dit gebied wordt beïnvloed, want dat ligt nog een stuk noordelijker.'

'Het is te veel om op te noemen,' zei Hedda. 'De

eerste verandering is de regen. Toen ik jong was, regende het één keer, hooguit twee keer per jaar. Maar nu? Nu is er elke herfst meer regenval. Daarom zijn er aardverschuivingen in Longyearbyen. Dit is altijd al een gevaarlijke plek geweest om te wonen, maar tegenwoordig heeft dat andere oorzaken.' Hedda fronste haar wenkbrauwen. 'En ik wil niet eens nadenken over de extra gevolgen van de smeltende permafrost.'

Het was raar, dacht April. Als je hier in de winter was, leek het moeilijk voor te stellen dat de Noordpool zo veranderde. Dat was het hele punt met klimaatverandering: er gebeurde heel veel zonder dat je er iets van zag. Maar als er iémand was die uit eigen ervaring kon spreken, dan was het wel iemand die hier al jaren woonde en de gevolgen met eigen ogen had gezien.

'De fjorden vroren vroeger helemaal dicht in de winter,' zei Hedda. 'Maar bij veel ervan gebeurt dat nu niet meer. De gletsjers smelten. De ganzen komen eerder en vertrekken later. Er zwemt zelfs kabeljauw in het water, die is hier nooit eerder geweest. En dan heb je nog de ijsberen...'

Ze schudde haar hoofd.

'Ik stel voor dat we nu gaan slapen,' zei ze

kortaf. 'De honden houden de wacht, maar als je 's nachts vreemde geluiden hoort, ga dan in geen geval naar buiten. Wat je ook doet. Ook niet naar het toilet.'

Na een kort overleg werd besloten dat papa en April de stapelbedden zouden nemen en Hedda en Tör in hun slaapzak naast de kachel zouden slapen.

Terwijl de anderen langzaam wegzakten, voelde April een rilling van opwinding. Alsof er lichtjes in haar buik zaten die door haar heen gonsden en een spoor van energie achterlieten in haar aderen. Morgen zouden ze aankomen in Sabineland. En ze hoopte vanuit de grond van haar hart dat ze Beer daar zouden vinden.

Het had geen zin om van het ergste uit te gaan. Ze moest erin blijven geloven dat Beer in orde was. Dat moest gewoon. Voor ze in slaap viel, keek ze nog even in haar tas. Helemaal onderin zat de pot pindakaas. Ze drukte de tas dicht tegen zich aan, zakte in slaap en droomde over haar beste vriend.

HOOFDSTUK VIJFTIEN

EEN BERENBRUL

Midden in de nacht deed April haar ogen open. Het bed was zo comfortabel als een blok beton en haar linkerheup zeurde van de pijn. Zelfs met haar ogen wijd opengesperd was het stikdonker in de hut. De enige geluiden waren het gedempte gesnurk van haar vader op het bed onder haar en dichter bij de kachel de ritmische ademhaling van de andere twee.

Maar die geluiden hadden haar niet gewekt.

Buiten – voorbij de houten wanden van de hut – hoorde ze namelijk iets heel anders. Een geluid dat elke snaar in haar diepste wezen raakte.

Het geluid van een ijsbeer.

Ze ging rechtop zitten en drukte haar oor tegen de houten wand. Het enige wat ze door de dikke balken heen kon horen was de weidse, pijnlijke stilte van het noordpoolgebied.

Heel eventjes vroeg ze zich af of ze het misschien had gedroomd.

Ze wilde net weer gaan liggen toen ze opnieuw een zwak gerommel hoorde. Laag, krachtig en indrukwekkend. Het was een brul, dat was onmiskenbaar. Maar waar kwam die vandaan? Ze had een bijzonder gevoelig gehoor, maar omdat geluid zich op zo'n aparte manier verplaatste in het noordpoolgebied, wist ze niet of het geluid kilometers verderop was ontstaan of vlak voor de hut.

Eén ding wist ze wel: ze zou op onderzoek uitgaan.

April kroop uit haar slaapzak en klom heel behoedzaam van het bovenste bed af naar beneden. Toen iemand bij de kachel bewoog, bleef ze als versteend staan en daarna sloop ze op haar tenen naar de deur. Weer hoorde ze dat gebrul, nu dichterbij. Ze spitste haar oren nog even extra om er zeker van te kunnen zijn. Ja, dat was echt een brul. Haar hart reageerde met een blij sprongetje.

Ze bleef bij de deur staan en snoof diep in. Niet om moed te verzamelen, maar om te kalmeren.

Ze hoorde de honden buiten bewegen. Een van hen jankte. En toen was er een ander geluid – iets wat klonk als een stel enorm zware pootstappen die de sneeuw platdrukten.

'Béér?!' fluisterde ze, en ze voelde haar zenuwen toenemen.

Weer hoorde ze dat geluid. Nu nog dichterbij.

O, Beer! Hij stond voor de deur! Hij had haar gevonden!

Haar hele lichaam werd bewegingloos, maar al haar zintuigen waren aangescherpt en alert. Opeens hoorde ze een ander geluid. Geritsel. Geschraap. Alsof hij tegen de buitenkant van de hut aanschurkte.

En opeens gebeurde er van alles tegelijk.

De honden barstten los in een druk geblaf.

Er klonk een krakend geluid.

Gevolgd door een uiterst woeste brul.

Nog meer geblaf en gegrauw.

De anderen werden happend naar lucht wakker, maar April kon niet langer wachten. Dat ging gewoon niet meer. Ze trok de deur met een ruk open en kreeg meteen een vlaag ijskoude lucht recht in haar gezicht. Ze knipperde één keer, twee keer, maar zag niets anders dan een dikke sneeuwbui en de geschrokken bewegingen van de honden die hard aan hun lijn trokken. Te midden van al die herrie en chaos was er ook nog iets anders.

Iets heel groots en schrikwekkends dat recht op haar af denderde.

'BEER!'

Haar ogen werden groot. Heel even ving ze een glimp op van een vieze witte vacht. Een kort ogenblik waarvan haar hart dolblij een sprongetje maakte. Maar toen kwam de beer pas echt in het zicht, met opengesperde kaken en een snauwende bek. Te laat besefte April haar gruwelijke vergissing.

Dit was een ijsbeer, ja.

Maar het was niet háár Beer.

Deze beer was magerder, ouder en een stuk ruiger. Hij had puntige, vergeelde tanden en er hing een drukke, woeste energie om hem heen die zijn wilde natuur benadrukte. Een adembenemend ogenblik lang staarde de beer haar recht aan – niet

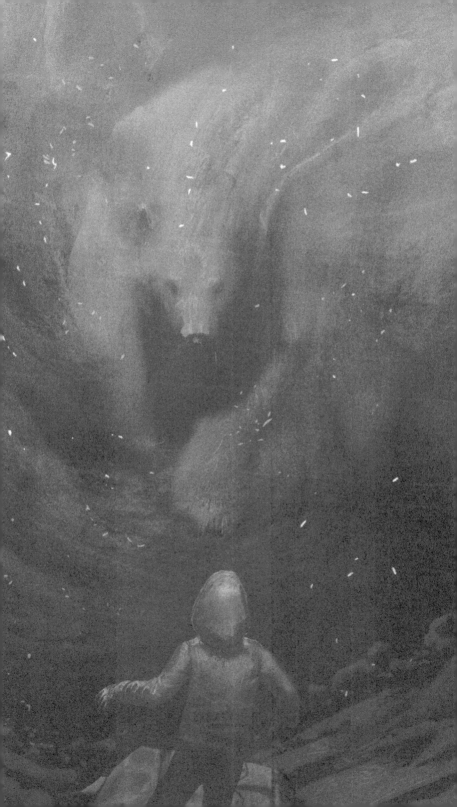

met warme, chocoladebruine ogen, maar met een kille, roofdierachtige blik. Op een vreemde manier was die prachtig. Zelfs nu ze doodsbenauwd stilstond kon ze dat nog wel toegeven.

Maar het was ook angstaanjagend. Zo angstaanjagend dat ze zich niet meer kon verroeren. Haar voeten waren als aan de grond gevroren. De beer wilde net met een uitgestrekte voorpoot op haar af springen toen iemand haar bij haar kraag greep en met een ruk opzijtrok.

'GA ONMIDDELLIJK NAAR BINNEN!'

Toen klonk het schot.

Zo luid, zo afschuwelijk, zo hevig dat het Aprils trommelvliezen pijnlijk liet trillen en ze achterwaarts de hut in strompelde en op de grond in elkaar zakte.

'De beer!' wist ze uit te brengen. 'Doe hem geen kwaad!'

Door de knal was de beer blijven staan. April bekeek hem nog een laatste keer aandachtig. Het was een oude beer. Hij was hongerig en overduidelijk wanhopig. En ondanks het feit dat hij haar bijna had gedood, voelde ze medelijden met hem. Toen richtte Hedda het seinpistool weer op de hemel en vuurde ze opnieuw, met het geluid van een dreunende donderslag. De beer snauwde nog wat voor hij zich omdraaide en maakte dat hij wegkwam.

Hedda smeet de deur dicht.

'Wat bezielt jou?' beet ze April toe terwijl ze zich omdraaide en haar met flitsende ogen van razernij aankeek. 'Wil je soms dood?'

Kwaad wendde ze zich nu tot papa. 'Ik zei toch dat het een vergissing was om haar mee te nemen! Er is een wilde ijsbeer buiten de hut en jouw dochter wil wel even gedag gaan zeggen?'

Weer keek ze om naar April. 'Denk je dan nooit aan een ander? Jouw stommiteit heeft ons allemaal in gevaar gebracht! Een mannetjesijsbeer als dat is geen toeristische attractie. Het zijn enorm gevaarlijke wilde dieren die je in één klap kunnen doden.'

'Het spijt me,' zei April en ze verborg haar gezicht in haar handen. Ze deed haar best om de teleurgestelde gezichten van papa en Tör niet te hoeven zien.

'Het kan me niet schelen hoezeer het je spijt,' zei Hedda zacht. 'Morgenochtend keren we terug.'

HOOFDSTUK ZESTIEN

SPANNING

De volgende dag begon in stilte. Een stilte waardoor de hut zo mogelijk nog kleiner voelde. Daarbij was het buitengewoon koud, zo'n kille temperatuur die je humeur ook geen goed doet.

Hedda en Tör waren buiten om voor de honden te zorgen, die tot ieders opluchting niets mankeerden. Er was alleen een paar oude, afgedankte ski's kapotgegaan, maar verder niets. Binnen porde

April met een kachelpook in het vuur en papa had zijn handen rond een beker hete thee gevouwen.

Ze spraken allebei geen woord.

April had al haar overtuigingskracht nodig gehad om Hedda over te halen niet nu al terug te keren naar Longyearbyen. Toen ze uiteindelijk bijval kreeg van Tör, had de oude vrouw ingestemd. Maar wel met frisse tegenzin.

April was er zo zeker van geweest dat de brul afkomstig was van Beer. Ze was ervan overtúígd. De brul klonk echt net als die van hem. En op het eerste gezicht had deze ijsbeer ook op hem geleken.

Maar het was toch een andere geweest.

De herinnering aan de beer die met zijn vergeelde, puntige tanden op haar af wilde springen bezorgde haar een rilling.

Hoe had ze het zo mis kunnen hebben?

Het vuur in de kachel leek te doven en April porde en prikte nu krachtiger tot de vlammen sisten en oplaaiden. Wilde ze Beer echt zo wanhopig graag zien dat ze de anderen in gevaar zou brengen?

Weer porde ze de houtblokken op en de ijzeren pook raakte de ijzeren kachelwand, zodat het metaalgerinkel door de hut galmde.

'April. Wil je daar alsjeblíéft mee ophouden?' vroeg papa nogal kortaf. 'Het zal je vast niet verbazen dat ik knallende koppijn heb, en dit helpt niet.'

'Sorry,' mompelde ze.

'Wat bezielde je gisteravond nou eigenlijk?' Hij keek op met vermoeide, bloeddoorlopen ogen vol verwijt. 'Je hebt niet alleen je eigen leven op het spel gezet, maar ons allemáál in gevaar gebracht.'

April voelde een naar gevoel in haar binnenste. Het laatste wat ze nu kon gebruiken was iemand die haar er nog even op wees hoe onverstandig ze was geweest. Vooral aangezien ze zelf ook heus wel wist dat ze verkeerd had gehandeld.

'Ik steun je volledig in je wens om de b… Beer te zoeken,' zei papa, die haar door zijn tot spleetjes geknepen ogen aankeek terwijl hij zijn brillenglazen oppoetste. 'Maar niet ten koste van iemands veiligheid. En vooral niet de jouwe.'

'Ik was niet in gevaar!' antwoordde April, ook al wist ze dat ze de waarheid hiermee geweld aandeed. 'Niet zo heel erg, in elk geval.'

'Alleen omdat Hedda zo snel in actie kwam!' zei hij, en hij zette zijn bril weer op en keek haar droevig aan. 'Nadat we waren teruggekeerd van Bereneiland, heb ik gezworen dat ik je voor alle gevaar zou behoeden. En moet je nu zien. We zijn pas twee dagen hier en je was er al bijna geweest. Misschien heeft Hedda gelijk en kunnen we beter teruggaan. Deze plek... Dit gebied is veel gevaarlijker dan ik me ooit had kunnen voorstellen.'

'We kunnen nu niet teruggaan!' riep April uit. 'Niet nu we zo dichtbij zijn!'

Papa keek peinzend naar de deur. Buiten stond hun de winterse omhelzing van de Noordpool te wachten. 'Vandaag,' sprak hij vastberaden, 'zullen we kijken wat er gebeurt. Maar als we nog meer van zulke... ontmoetingen meemaken... dan vrees ik dat ik geen andere keus heb dan te doen wat juist is.'

Bij die woorden rechtte hij zijn schouders.

'Ik wíst wel dat dit zou gebeuren!' riep April gefrustreerd uit en ze liet de pook met een harde klap op de grond vallen. 'Ik wist wel dat je je weer zou bedenken! Je wilde hier om te beginnen al niet eens naartoe!'

'Dat is niet waar, April,' zei papa zacht.

'Wel waar!' riep ze uit. 'Je bent hier alleen maar vanwege Tör. Jij wilde niet mee. Je kunt Beers naam niet eens normaal uitspreken!'

Papa slaakte een diepe zucht en keek haar niet aan.

'Zie je wel? Je geeft helemaal niets om hem!' riep ze uit. Ze wist dat ze schreeuwde, maar ze kon de woorden niet meer tegenhouden; ze gutsten als een waterval naar buiten. 'Je geeft niks om Beer en ook niet om mij! Niet sinds je Maria hebt leren kennen! Je wilt alleen nog maar tijd met haar doorbrengen!'

Papa keek verrast op en een gekwetste uitdrukking plooide zijn voorhoofd. April sloeg een hand voor haar mond. Waar kwamen die woorden ineens vandaan? Waren ze eigenlijk wel waar? Haar hart was zo chaotisch, zo'n warboel op dit moment dat ze het niet meer zeker wist. Maar terugnemen kon ze het toch niet meer.

'Het spijt me,' fluisterde ze. 'Ik…'

Meer kon ze niet zeggen, want de deur zwaaide open en Hedda kwam de hut binnen. 'We moeten gaan. Edmund, help me de tassen inladen en vastsjorren. Tör kan de honden voeren en verzorgen. En jij,' zei Hedda met een duistere blik in Aprils richting, 'blijft hier.'

Zonder nog om te kijken liep papa de hut uit.

Zelfs toen de hut was opgeruimd, de honden hun harnas aanhadden en de sledes waren volgeladen keek hij haar niet aan. In plaats daarvan ging hij op zijn plek achter Hedda zitten en klom April vermoeid op de slee achter Tör.

'Het was een begrijpelijke vergissing,' zei Tör met een klopje op haar schouder.

Eerst dacht April dat hij het had over wat ze tegen papa had gezegd, maar daarna besefte ze dat Tör het over gisteravond had.

'Mensen zijn rare wezens. Als we iets zo dolgraag willen, dan maken we onszelf van alles wijs om maar te geloven dat het waar is.'

April knikte; ze was te moe om te reageren. Bovendien was ze bang dat ze in tranen zou uitbarsten als ze nu iets ging zeggen. Maar Tör had het niet gemerkt. Die hield zijn aandacht bij de honden die hij moest aansturen.

Vandaag zouden ze in elk geval Sabineland bereiken, hield April zich voor bij wijze van troost. En dat betekende hopelijk dat ze weer een stap dichter bij Beer zouden zijn.

'MARS!' schreeuwde Tör. En de slee schoot ervandoor.

HOOFDSTUK ZEVENTIEN

SNEEUWSTORM

H et reisplan was om Sabineland te bezoeken, daar te lunchen en dezelfde weg terug te gaan voor een tweede nacht in de jagershut, en morgen weer huiswaarts te keren naar Longyearbyen.

Hoe verder ze de wildernis in reisden, hoe alerter Aprils zintuigen werden. Alsof ze al die tijd hadden gesluimerd en nu door de koude noordpoolwind pas werden gewekt. Het was of dat, of April herinnerde zich weer hoe ze meer beer moest zijn.

Hedda had hun uitgelegd dat Sabineland een enorm gebied bestreek en voornamelijk bestond uit gletsjers, bergen en een grillige kust. April was heus niet zo naïef dat ze dacht honderden ijsberen te ontdekken die op haar wachtten. IJsberen leefden alleen en het was al een enorm voorrecht om er eentje in het wild te zien; dat overkwam maar weinig mensen.

Bij aankomst was er nergens een beer te bekennen, maar het landschap was adembenemend. In het licht van de vroege namiddagzon leek de sneeuw te gloeien. Hedda had de honden aan de voet van een reusachtig gebergte verzameld om uit te rusten en ze wees omhoog naar waar een bevroren rivier van ijs langs het gesteente omlaagkronkelde en zijn eigen kanaal uitsleet.

'Een valleigletsjer,' mompelde papa vol ontzag.

Hedda knikte. 'Die is hier al duizenden jaren.' Ze wees naar de berg ertegenover. 'Je vroeg toch in welke mate Spitsbergen verandert? Kijk maar eens naar die kant. Ooit lag daar ook een valleigletsjer. Nu hangt er alleen nog een gedenkteken om aan te geven waar die ooit was.'

April moest een verschrikt geluid inslikken. Ze wist wel dat de gletsjers smolten, maar niet dat het zo snel ging.

'We zullen ons kamp opslaan en dan een beetje rondkijken.' Hedda keek nu veelbetekenend naar April. 'Maar laat één ding duidelijk zijn: niemand gaat er in zijn eentje op uit.'

Met het seinpistool in zijn holster en de noodtas en haar geweer op haar rug, leidde Hedda iedereen dichter naar de gletsjer. Niemand mocht erop lopen, want niemand had ijssporen mee om onder de zolen van hun sneeuwlaarzen te binden en Hedda vond het veel te gevaarlijk. In plaats daarvan hield ze hen op een veilige afstand en keek ze de hele tijd op haar hoede om zich heen. Ze leek nog minder te zeggen dan gewoonlijk en bleef zelfs peinzend naar de hemel staren – al zag April er niets bijzonders aan.

Iedereen, inclusief papa, leek de gletsjer uiterst boeiend te vinden, maar April kon niet voorkomen dat haar wanhoop toenam terwijl ze om zich heen keek. Waar was Beer? Was hij hier? Was hij in de buurt? En zo ja, waarom kwam hij dan niet opdagen? Ze kon zelf niet weglopen, en een zachte berenbrul slaken zat er ook niet in.

Tijdens de lunch pakte April de pot met pinda-kaas expres uit haar tas en ze draaide het deksel eraf. Nu zou Beer toch wel komen? Vooral wanneer hij zijn lievelingseten rook. Ze smeerde net een dikke laag op een haverkoek toen Hedda opeens opstond.

'We gaan nu terug.'

'Wát?' April hapte naar lucht. 'Waarom?'

'Het weer.' Hedda wees naar de horizon en April volgde haar blik. Het leek iets waziger dan gebruikelijk, maar niet bijzonder. 'De voorspellingen zeiden niets over een sneeuwstorm, maar de Noordpool heeft blijkbaar andere plannen. Als we nu gaan, bereiken we de hut nog net voordat de storm bij ons is.'

'Maar... we kunnen nu niet weg!' riep April en ze voelde de haverkoek in haar hand verkruimelen. 'We zijn net pas aangekomen en...'

'We slapen nog steeds vannacht in de hut, en misschien zien we het noorderlicht wat later nog, zodra de storm is gaan liggen,' antwoordde Hedda.

April staarde haar wezenloos aan. Wat bleef ze nou toch doorzagen over het noorderlicht? Dat licht kon haar toch niets schelen? Het ging haar om Beer!

'Papa!' April keek naar haar vader, maar die meed alle oogcontact, zoals hij dat de hele dag al had gedaan. Hij was er ongetwijfeld wel blij mee dat ze weer terug zouden gaan. April keek naar de pot pindakaas en toen weer naar de horizon. Ze rook de verandering in de lucht, alsof die dikker was geworden, ook al zag ze nog steeds niets.

'Je hebt je best gedaan, April,' zei Tör met een vriendelijk schouderklopje. 'Maar we kunnen niet buiten blijven als dat zo'n gevaar oplevert.'

'Maar ik kan hem niet achterlaten!' riep April uit. 'Niet nu we zo dichtbij zijn! Dat kan ik niet!'

'We laten helemaal niemand achter,' zei Hedda, die haastig alle drinkbakken en opbergdozen met voer voor de honden verzamelde en die samen met alle waterflessen weer op de slee bond. 'We vertrekken nu allemaal, niemand blijft hier.'

April keek van Hedda naar Tör en toen naar haar vader, maar besefte dat zij in de minderheid was.

'Ik blijf wel hier!' riep ze wanhopig. 'Ik blijf wel hier tot de storm voorbij is.'

Hedda keek haar minachtend aan. 'Zeg nou niet van die dwaze dingen. Heb je enig idee hoelang een poolstorm kan duren? Dagen, soms weken. Het is hier anders dan waar jij vandaan komt. Dit is het dak van de wereld en het dak van de wereld is niet altijd vriendelijk. Ik heb al eerder gezegd dat mijn woord wet is tijdens deze expeditie, en ik zeg dat we nú vertrekken.'

April kon de storm nu ook voelen. Er was niet alleen een daling in de temperatuur, maar ook een verandering van toon. Alsof de trillingen van de Noordpool opeens een octaaf lager klonken.

'We moeten gaan,' zei Hedda, die de laatste harnassen aan het tuig bevestigde. 'Snel!'

De husky's hapten en keften en leken de onzichtbare stromingen in de lucht ook te voelen. Het kostte zelfs Hedda moeite om de honden onder de duim te houden. Algauw had iedereen, met uitzondering van April, zijn plek op de sledes ingenomen.

Hoe kon ze nu weggaan?

Hoe kon ze Beer achterlaten nu ze zo dichtbij was? Ze kon toch niet vertrekken voor ze wist of hij gewond was, of hij eigenlijk nog wel leefde? Ze was buiten adem, alsof er een kloof in haar borst was ontstaan die haar in tweeën spleet.

'Schiet op, April,' zei papa met een blik die haar

liet weten dat er geen discussie mogelijk was. 'We moeten gaan. Nu metéén.'

Met de ene loodzware stap na de andere ging ze dan toch maar op haar plekje achter Tör zitten. Voor haar trokken de honden al aan hun tuig.

'MARS!' riep Tör.

Ze schoten ervandoor – weg van de gletsjer. Weg van Sabineland. Weg van Beer. En terwijl ze vertrokken, voelde April iets in haar hart in duizend stukjes breken.

Het was niet alleen dat ze de Noordpool verliet; ze liet Beer achter voordat ze hem ook maar had gevonden.

De hemel werd donkerder en ze registreerde vaag dat de wind opstak, maar pas toen Bo bijna struikelde besefte ze dat het Tör moeite kostte om de slee in bedwang te houden.

'Verdomme!' vloekte hij.

De honden herstelden hun formatie, hijgden harder dan voorheen, en de slee kwam maar langzaam vooruit. Vlak voor hun trekhond, Finnegan, zag April nog net de slee van Hedda en papa. De wind waaide nu fel en het kostte Tör al zijn kracht om op het pad te blijven.

De honden sprintten door.

En opeens klonk er een luide donderklap die de hemel leek te splijten.

Een van de honden schrok van het geluid, raakte in paniek en maakte een hoge sprong van schrik. Finnegan bleef trekken, maar op een of andere manier hadden de andere honden hun lijnen in de war weten te krijgen. Het duurde niet lang voor de husky's niet langer in formatie liepen en op een grote hoop in de sneeuw lagen.

Tör vloekte opnieuw. Toen sprong hij van de slee om de noodtas te pakken. 'Ik zal de lijnen uit de war moeten halen!' riep hij. 'Hou de rem goed vast!'

Het was inmiddels gaan sneeuwen. Eerst dwarrelden de vlokken lichtjes omlaag, maar algauw werden het dikkere plukken die door de wind zijwaarts werden geblazen. Voor hen was de slee van Hedda en papa al in de verte verdwenen. De herrie van de storm was zo hard dat ze niet merkten dat ze de volgslee waren kwijtgeraakt.

'De lijnen zitten volledig in de knoop,' riep Tör. 'Kun je me het mes aangeven? Dat zit niet in deze tas!'

Het mes zat vast bij het keukengerei vlak achter haar. Dan moest April wel een voet van de rem halen om erbij te kunnen. Als ze heel voorzichtig was, zou het haar vast wel lukken. Ze strekte haar arm uit.

BOEM.

Weer knalde er een donderslag door de lucht. Deze was zo luid en angstaanjagend dat ze haar evenwicht verloor.

De honden, die merkten dat er op dat moment niemand aan het roer stond, kwamen opeens tot leven. April worstelde met het stuur en probeerde met al haar gewicht op de rem te leunen.

'STOP!' riep ze wanhopig. 'STOP!'

'April?' schreeuwde Tör. 'APRIL!'

De woorden klonken ver weg en gedempt. De sneeuwstorm vervormde alle geluiden, zodat ze niet goed wist waar ze vandaan kwamen. Ze probeerde de honden te laten omkeren, maar ondanks de verstrikte lijnen liepen ze gewoon door en sprintten ze verder.

Törs stem werd zachter.

En zachter.

Tot hij niet meer hoorbaar was.

HOOFDSTUK ACHTTIEN

POOLSTORM

De dikke sneeuw viel nu zo snel dat April al haar concentratie nodig had om zich vast te houden. De tijd werd een wazig iets. Het was onmogelijk om nog iets te zien of te horen. Haar sneeuwbril was beslagen, alle onbedekte huid van haar gezicht was rauw en haar vingers en tenen voelde ze niet eens meer. Zelfs met al die dikke winterkleren aan was ze onvoldoende beschermd tegen een poolstorm.

Het leek wel een eeuwigheid – al had ze geen idee hoelang het duurde – voordat de honden hijgend bleven staan, doodmoe van alle inspanning.

Het was zo'n dichte sneeuwval dat ze haar handen en voeten niet eens kon zien. Het was meer een sneeuwmuur dan een sneeuwstorm. Bijna massief en ondoordringbaar. April veegde haar sneeuwbril af, maar de glazen besloegen bijna direct opnieuw.

'PAPA!' riep ze. 'TÖR!'

Maar het had geen zin. Hoe hard ze ook schreeuwde, haar stem werd meteen meegesleurd door de wind, die gierend om haar heen raasde en haar aan alle kanten belaagde.

Nu ze niet meer bewogen, voelde ze de kou tot in elke porie van haar lijf doordringen. Wat had Hedda ook alweer gezegd wat ze moest doen als ze elkaar zouden kwijtraken? Denk na, April. Denk na. Haar hersens waren zo versuft. Ineens wist ze het – de noodtas. Gelukkig. Daarin zat alles wat ze nodig had tot ze gered zou worden. April stak haar hand naar achteren, maar herinnerde zich met een kreetje van angst dat Tör de tas had gepakt voordat de honden ervandoor waren gegaan.

Aangezien Hedda op de eerste slee zat, had

zij de meeste spullen bij zich. April had een doos met keukenspullen, twee dozen hondenvoer en de drinkbakken. Afgezien van haar eigen tas, met daarin haar slaapzak, extra kleren, haar notitieboekje en wat restjes kaas en roggebrood van de lunch, zat er weinig waardevols in.

Ze slikte moeizaam.

De wind was meedogenloos en beukte van alle kanten op haar in. Het snerpende gegier drong door tot diep in haar hoofd en verstoorde al haar gedachten, op eentje na.

Hedda had gelijk.

De Noordpool was geen plek voor kinderen. Het was eigenlijk al geen plek voor ménsen.

April had zoveel fouten gemaakt sinds ze hier was. De ene domme beslissing na de andere genomen. En nu was ze gewoon doodop. Ze was uitgeput van alles. De wind bleef maar janken en de sneeuw bleef maar vallen, en het was o zo verleidelijk om haar ogen te laten dichtzakken.

Al het geluid te verdringen.

Ze legde haar wang op een stuk van de slee en liet de sneeuwvlokken een voor een op haar neerdwarrelen. Stukje bij beetje bedekte de sneeuw haar tot ze er onzichtbaar onder lag, vlak onder het oppervlak van de wereld. En zo bleef ze liggen. Als onderdeel van de sneeuw. Als onderdeel van de Noordpool. Als onderdeel van het weer, van de natuur.

En het was zo koud dat ze best had kunnen slapen. Ze wílde ook wel slapen.

Tot er vlak onder haar wang een murmeling van de aarde te horen was.

Eerst dacht ze dat ze het zich inbeeldde.

Op zo'n afgelegen plek als deze was het hart van de aarde toch wel bevroren?

Maar het hart van de aarde is nooit bevroren. Soms lijkt het roerloos, maar het valt nooit stil.

De aarde murmelde opnieuw, en iets diep in Aprils hart ontdooide en mompelde terug.

Nee, geen mompeling.

Het was een brul.

Een brul die sterk genoeg was om haar ogen weer te openen, de sneeuw uit haar wimpers te knipperen en de smurrie van haar gezicht te vegen.

Hedda had het mis. Ze was niet zomaar een kind. Of een meisje. Ze was half beer, en ze zou strijden voor wat juist was. Zelfs al zou ze Beer nooit meer zien, dan nog zou ze voor hem vechten.

Ze zou vechten tot aan haar laatste snik.

Ze zou vechten.

April opende haar mond en brulde het uit.

Ze brulde om alles wat er was gebeurd nadat ze van Bereneiland waren teruggekeerd. En om alles wat er niet was gebeurd. Ze brulde vanwege de stijgende temperaturen. De kokendhete zomers. Het stijgende waterpeil van de oceanen. Alle dieren die stierven en stervende waren. En vooral om de mensen die nog steeds niet snel genoeg in actie kwamen.

Ze brulde voor zichzelf. Want wat is een berenbrul als er niet ook een beetje van je eigen pijn in verwerkt zit? Een beetje van je eigen frustraties? Je eigen woede?

En bij die brul, krabbelde April weer overeind.

Op dat moment herinnerde ze zich nog iets. Hedda had toch gezegd dat de honden de slee leidden? Dat de honden precies wisten waar de hutten stonden? Dat de honden zelfs geblinddoekt nog de weg zouden weten?

April brulde met heel haar hart. En nu was er werk aan de winkel.

'MARS!'

HOOFDSTUK NEGENTIEN

DE PELSJAGERSHUT

Het was een gok om de honden de weg te laten kiezen, want April had geen idee waar ze naartoe zouden gaan. Ze had het zo koud dat ze alles op de automatische piloot deed. Het was nu toch al te laat. Ze moest maar vertrouwen op de husky's. Ook al voelden haar kleren flinterdun in de storm, ze was dankbaar voor de gevoerde regenbooglaarzen en de dikke winterjas. Maar het kostte al haar kracht om het vol te houden.

De reis was niet te meten in minuten.

Hij was alleen meetbaar in uithoudingsvermogen.

De hemel werd al donker en de honden vertraagden hun pas voor ze helemaal tot stilstand kwamen. Het sneeuwde nog steeds heel hard. Zo hard dat April helemaal niets kon zien en in paniek begon te raken. Maar zodra ze haar bril had schoongeveegd en nog eens goed tuurde, zag ze de ruwe randen van een gammele pelsjagershut die zich aftekenden tegen de sneeuw.

Zo oud dat hij verlaten en ongebruikt leek. Maar het was onderdak.

Het was een veilige haven.

Ze pakte haar tas, gleed van de slee en mompelde een bedankje naar de honden. Ze zette een stap en haar voet zakte weg in de sneeuw. Het kostte een hoop moeite om hem er weer uit te sjorren. Met gebogen hoofd zette ze nog een stap. En nog een. Haar benen waren zo bevroren en zwaar dat ze op handen en knieën zakte, als een ijsbeer. Zo kroop ze de laatste paar meter verder en schepte ze de sneeuw met haar handschoenen weg bij de deur. De wind blies nog steeds hard in haar gezicht, maar het lukte haar om de deur open te krijgen.

Ze was binnen.

Het interieur was donker en het rook er naar hout, rook van een vuur en kerosine. In de hoek stond een bed gemaakt van oude planken, en er was een oeroud uitziende kachel en daarnaast een wand vol roestig gereedschap en kookgerei. April wilde het liefst gewoon gaan liggen en slapen. Maar ze wist dat dat niet de bedoeling was. Daarvoor was het veel te koud. Zelfs met de deur dicht jankte de wind zo hard om de hut heen dat ze bang was dat die het dak eraf zou blazen.

Eerst moest ze ervoor zorgen dat de honden in orde waren en dat ze te eten kregen. Ze ging terug naar buiten om ze allemaal te omhelzen, met een extra speciale knuffel voor de zilvergrijze Finnegan, de leider die haar in veiligheid had gebracht. Zodra ze daarmee klaar was, moest ze zorgen voor warmte. Ze trok het natte sneeuwpak uit en deed droge kleren aan. Gelukkig had ze in elk geval wel haar eigen rugzak bij zich.

Volgens de thermometer was het hierbinnen twintig graden onder nul. Opgelucht zag April dat de kachel al gevuld was met brandhout en brandstof, en er lag een doosje lucifers naast. Met gevoelloze, trillende vingers wist ze een van de lucifers aan te steken. Een afschuwelijk moment lang was ze bang dat ze het vuur niet aan de praat zou krijgen.

'Ontvlam, alsjeblieft, ontvlam,' mompelde ze met een brok in haar keel.

En *woesj*, het hout nam de vlam over en het vuur laaide op.

Nu dat goed brandde, was April alle kracht kwijt. Het lukte haar niet om het bed te bereiken, dus kroop ze maar in haar slaapzak en bleef ze op de harde vloer liggen.

De storm beukte en raasde de hele nacht door. Alsof de hele wereld zich omdraaide of binnenstebuiten keerde. De potten en pannen aan de wand rinkelden en rammelden en trilden mee. Het was lastig om de verschillende geluiden nog uit elkaar te houden. Het was net alsof de aarde haar mond had opengesperd om een keiharde, razende brul van woede en teleurstelling te slaken.

Er was iets veranderd. April ging met bonzend hart rechtop zitten en haar mond voelde droog. Op een of andere manier was het haar dan toch gelukt om in slaap te vallen. En nu? Nu was er geen gebrul, gedonder of gebulder meer buiten. Het was zelfs griezelig stil. Geen storm, geen wind, geen leven. Alleen een uitgestrekte, plechtige stilte, en een gevoel van paniek dat zich door haar maag verspreidde.

Uiteindelijk waren het praktische overwegingen die April dwongen haar slaapzak te verlaten. Ze had het koud en ze had honger. Het vuur was gedoofd, dus stopte ze er een paar houtblokken bij voordat ze haar restje kaas en roggebrood at, samen met een blokje van haar chocola en een paar pinda's.

Zodra ze weer warm was en iets te eten binnen had, voelde ze haar hersens opeens weer aanzwengelen. Tör zou toch vast wel in orde zijn? Hij had tenslotte de noodtas bij zich gehad en zou Hedda en haar vader hebben kunnen laten weten waar hij zat. Bovendien moest Hedda op een gegeven moment wel hebben gemerkt dat ze de volgslee kwijt waren en zijn teruggekeerd om hem te zoeken. Hopelijk waren zij allemaal bij elkaar en veilig.

Maar hoe zat het dan met April?

Zouden ze haar vinden? Zou het haar lukken om hen te vinden? Papa zou vast doodongerust zijn. O, papa! Ze voelde dat haar maag zich omdraaide. April meende niet wat ze over Maria had gezegd. Zo erg vond ze het helemaal niet.

En nu had ze per ongeluk alsnog gedaan wat ze had beloofd niet te doen: ze was ervandoor gegaan. Alweer. Maar deze keer had ze in elk geval de honden nog.

Op dat moment besefte ze dat ze die sinds gisteravond niet meer had horen blaffen.

'O nee!'

De hut uit komen was eenvoudiger gezegd dan gedaan. Zodra ze de deur opentrok, werd ze begroet door een massieve sneeuwmuur die even hoog was als zij, en het duurde enkele minuten voor ze zich een weg naar buiten had gegraven.

Maar ze wist het meteen.

De honden waren weg.

Ze was zo uitgeput en verkleumd geweest, dat ze de honden niet goed genoeg had vastgebonden.

Nu had April echt al Hedda's regels overtreden.

'Finnegan?' riep ze hulpeloos. 'Bo? Coco?'

Nee. Deze keer was April echt helemaal alleen.

En toch. Toen ze daar in de deuropening stond, werd ze te zeer afgeleid door het tafereel om haar heen om bang te zijn. Want voor haar strekte zich een heel nieuwe wereld uit. Het hutje bevond zich vlak naast een met ijs bedekte fjord die glinsterde en schitterde.

Van de valleigletsjer van gisteren was niets meer te zien. Achter haar stond een besneeuwde berg, en voor haar strekten de eindeloze kilometers niemandsland zich uit. Het was er zo kaal, zo leeg, maar ook zo zuiver en puur dat April het gevoel had dat ze een foto was binnengewandeld.

Al was het de lucht die haar adem deed stokken. Smaragdgroene en blauwe kleuren bewogen langs de hemel als het prachtigste vuurwerk dat ze ooit had gezien. Vingers van kleur staken vanuit de hemel naar beneden om de aarde aan te raken en kringelden dan met een pirouette weer weg, terwijl ze als dansers in de lucht naar links en naar rechts kronkelden.

Het noorderlicht.

Aurora borealis.

Iets prachtigers had April nog nooit gezien. Alsof ze zich niet eens meer op aarde bevond, maar was ontwaakt in een droomwereld van kleuren waarvan ze nooit had geweten dat die bestond.

En de melodie! Ze had nooit gedacht dat licht kon zingen. Al vond ze het wel passend dat een dergelijke hemel muziek maakte – en klonk als violsnaren die iets in haar ziel teweegbrachten.

April huiverde toen de waarheid tot haar doordrong.

Het was niet de hemel.

De hemel kon niet praten of zingen.

Er was maar één ding dat zo'n geluid kon produceren.

In de verte kwam hij dan eindelijk met grote, sjokkende passen in beeld.

'BEER!'

HOOFDSTUK TWINTIG

BEER

Deze keer was er geen vergissing mogelijk.

Hij stond een eindje verderop. Zijn neus bewoog en trilde in de stille winterse lucht. April kon nog net voorkomen dat ze hardop naar adem snakte. Het wás Beer. Hij was het echt. En alsof hij dat wilde bewijzen, ging hij op zijn achterpoten staan, om te steigeren als een stralend wit paard. Toen hij dat deed, blonk het licht van de hemel op zijn vacht, zodat zijn hele wezen schitterde en glansde en verblindde.

April legde een hand op haar hart in een poging het te kalmeren. 'Beer?'

Beer liet zich langzaam op vier poten zakken. Hij hield zijn hoofd schuin en keek alert rond, met gespitste oren, alsof hij probeerde aan te voelen wat de situatie was.

'Ik ben het,' fluisterde ze. 'April.'

Misschien herkende hij haar niet. Ze slikte de brok teleurstelling weg. Ze was niet heel erg veranderd, hooguit een beetje gegroeid en haar gezicht was wat smaller geworden en haar haar zat warriger. Misschien had Vincent van het Poolinstituut wel gelijk. Misschien was het te veel gevraagd dat een wilde ijsbeer zich haar zou herinneren.

'Beer?' fluisterde ze nog een keer.

Hij keek weer rond, van de bevroren fjord tot de eindeloze noordpooltoendra die kraakte en zuchtte onder het gewicht van de glanzende hemel, tot zijn ogen een hele cirkel hadden beschreven en zijn blik op haar bleef rusten. Een eindeloos moment lang staarden de beer en het meisje elkaar aan.

April hield haar adem in.

Haar zenuwuiteinden tintelden, haar keel voelde dichtgeknepen en ze had haar handen tot vuisten gebald. Een hele verzameling aan emoties trok door haar heen tot ze er duizelig van werd. Ze huiverde in de koude ochtendlucht en beet zenuwachtig op haar lip. Beers neus bewoog weer op en neer. Hij liet zijn kop zakken, maar tilde hem even later op en keek haar aan.

Recht in haar ogen.

Hij deed een voorzichtige stap naar voren op hetzelfde moment dat April dat deed. Ze hoorde alleen het zachte geknerp van haar laarzen in de sneeuw en het ritme waarin haar hart klopte.

Ze zette nog een stap.

Net als hij.

April kon hem nu ruiken. Wild en muskusachtig. Wilder dan voorheen. Maar er was ook een geur die haar het idee gaf dat ze thuiskwam. Een prettige en geruststellende geur.

Nog een stap naar voren.

Nu ze nog maar een paar meter van hem verwijderd was, zag ze de donkere, chocoladebruine kleur van zijn ogen, die met een vriendelijke, maar strakke blik in de hare keken. Toen voelde ze haar onderlip trillen. Want dit waren nog precies dezelfde ogen. Vol vertrouwen en liefde en nog iets anders. Iets wat ze al heel lang niet meer had gezien.

'Beer?'

April zette nog een stap naar voren, maar nu wat gehaaster. Dringender. Ergens in de verte hoorde ze het gekraak en geklaag van gletsjers.

Honden blaften, mensen waren naar haar op zoek.

Maar op dit moment deed dat er allemaal niet toe.

Het enige wat belangrijk was stond nu vlak voor haar.

Beer deed een stap naar voren.

En nog een.

Elke stap was groter en gedurfder dan de vorige.

Elke stap gehaaster en urgenter.

Tot ze eindelijk bijna neus aan neus stonden.

Onder het schijnsel van het dansende noorderlicht weerkaatste het lichtgevende groen op Beers vacht en leek van hem af te stralen. April sloeg haar handen voor haar mond.

'O, wauw,' mompelde ze. 'Je bent het echt.'

Het was alsof iemand een kam over haar rug bewoog. Of op elke snaar van haar hart tokkelde. Of haar overgoot met de stralen van duizend zonnen.

Het gevoel was zo krachtig, zo helder, zo puur dat April iets voelde verschuiven in de diepste kamers van haar ziel. Iets wat in een miljoen stukjes versplinterd was, zat nu opeens weer aan elkaar genaaid.

Ze voelde zich weer compleet.

Niet in de zin dat je je pas compleet kon voelen door een ander. Maar wel in de zin dat het universum niet meer overhelde en alles weer helemaal was zoals het hoorde te zijn.

Hij was schitterender dan ze zich ooit had kunnen herinneren. Mooier dan op de foto waar ze al een triljard keer naar had gestaard. Prachtiger dan in al haar herinneringen.

Hij was echt. Hij was stevig. Hij was nog in leven.

En hij was hier.

HOOFDSTUK EENENTWINTIG

WEER SAMEN

April bleef er zo roerloos mogelijk bij staan, als een standbeeld. Ze was nu zo dichtbij dat ze haar hand zou kunnen uitsteken om Beer aan te raken. Maar dat deed ze niet. Ze wilde het wel, maar ze was bang.

Niet dat ze vreesde dat Beer haar kwaad zou doen.

Dat geloofde ze geen moment.

Maar het was de angst voor dit ogenblik.

Er zat één meter ruimte tussen hen, maar ook zeventien maanden tijd. Er was een hoop gebeurd. Zij was niet meer dezelfde April. En nu ze zo naar Beer staarde, besefte ze ook dat hij niet meer dezelfde Beer was.

Achter op zijn flank zat een schram met een beetje opgedroogd bloed op zijn vacht.

'Dat is vast waar het geweerschot je geraakt heeft,' mompelde April, die hem instinctief weer wilde aanraken, maar dat niet durfde. 'Het ziet er in elk geval niet heel ernstig uit.'

Ze was zo ongelooflijk opgelucht dat de angst om hem nooit meer te zien – de angst die ze in zich had meegedragen vanaf het moment dat ze over een neergeschoten ijsbeer hoorde – verdween en via haar benen en voeten wegsijpelde, de sneeuw in.

Afgezien van die schram zag ze op zijn linkerschouder ook een litteken dat hij eerder niet had gehad. Geen groot litteken, maar toch een aandenken aan de tijd die ze apart van elkaar hadden doorgebracht. Hij leek ook groter, als dat mogelijk was. Hij was gegroeid – niet per se in centimeters, al leek zijn borst nu wel breder, maar vooral in zijn uitstraling. Hij hield zijn kop meer omhoog, zijn borst wat meer vooruit en zijn kin leek zelfverzekerder.

'Je bent nu volwassen, hè Beer?'

Om een of andere reden begon April te huilen.

Niet van dat lelijke, luidruchtige gesnif – dat hoorde niet thuis hier in de stille pracht van de Noordpool. Maar stille, ongevraagde tranen van iemand die te veel emoties tegelijk voelt en ze er alleen op deze manier uit kan laten.

April sloeg haar handen voor haar gezicht, maar Beer deed ook wat.

Hij boog zijn kop naar voren, zo voorzichtig dat ze het eerst niet eens merkte. Pas toen ze zijn snorharen tegen haar wang voelde kriebelen en ze ervan moest giechelen.

'Dat kietelt!'

Nog steeds durfde ze zich niet te verroeren. Geen spiertje, ook al was de lucht zo koud dat haar vingers zeer deden en haar voeten klopten van de pijn. Ze stond er bewegingloos bij en voelde de aarde heel ver onder haar, die ook was stilgevallen alsof ze het tafereel vlak boven haar wilde gadeslaan. Centimeter voor centimeter bewoog Beer zijn kop naar voren tot hij zijn kin op haar schouder kon leggen.

'O!' April blies een hele wolk adem uit.

In één klap was alle tijd die ze zonder elkaar hadden doorgebracht niet meer van belang; die vouwde zich op tot een steeds kleiner vierkantje en ging op in het niets.

'O!' riep April opnieuw uit, en ze sloeg haar armen om Beers nek en hield zich o zo stevig vast. Zo stevig dat ze dacht misschien nooit meer te kunnen ademen. En het ook helemaal niet gaf als ze niet meer zou ademen. Want zelfs al had ze het hele universum kunnen opnemen in haar ziel, dan nog zou ze nooit feller stralen dan op dit moment. Ze hield zich uit alle macht aan hem vast en wist dat ze nooit, maar dan ook nooit meer zou loslaten.

April had geen idee hoelang ze op deze manier bleven staan.

Misschien een paar minuten. Misschien een eeuwigheid. Of zelfs langer dan dat. Maar in elk geval lang genoeg om zich te herinneren dat het echt heel lastig ademen was als je je neus zo diep in een ijsberenvacht had gestoken. Ze hoestte en proestte en maakte haar armen uiteindelijk toch losser – een heel klein beetje maar – om haar hoofd op te tillen.

'Ik heb je gemist,' fluisterde ze hees. 'Ik heb je zo ontzettend gemist.'

Bij wijze van reactie likte Beer de tranen een voor een van haar gezicht, en daarmee verdween alle pijn uit haar binnenste. Terwijl hij dit deed, besefte April ook dat Beer weliswaar extra littekens had opgelopen en ze allebei wat ouder waren geworden, maar dat er tussen hen niets wezenlijks was veranderd. Want sommige vriendschappen veranderen nu eenmaal nooit. Niet echt. Al ben je nog zo ver bij elkaar vandaan.

April maakte zich los zodat ze haar neus in een zakdoek kon snuiten. Ze wilde niet dat haar snot op Beer kwam, dat vond ze niet fijn. Nadat ze de zakdoek weer in haar zak had gestopt, legde ze haar hoofd met haar wang tegen de zijne.

Ze slaakte een diepe zucht. Zo'n zucht die bestaat uit allemaal fijne dingen – suikerspin en zonneschijn en verhaaltjes voor het slapengaan. Zo bleven ze een poosje staan, wang tegen wang, en dat leek het meest perfecte, natuurlijkste wat ze konden doen.

Dat was het ook.

'Toen ik weg was heb ik je zo ontzettend gemist. Dat weet je wel, hè?' fluisterde April. 'Ik heb je harder gemist dan ik ooit had gedacht iets of iemand te kunnen missen.'

Met haar gezicht tegen zijn vacht gedrukt, hoorde ze Beers hart kloppen als een regelmatig en geruststellend ritme van een grote klok. Voor de miljoenste keer wenste ze dat Beer iets terug zou kunnen zeggen. En tegelijkertijd wist ze dat het eigenlijk niet uitmaakte. Want in zijn stilte gaf hij haar een nog veel groter geschenk: de kans om gewoon zichzelf te zijn.

'Heb je... Heb jij mij ook gemist, Beer?'

Beer gaf geen antwoord. Maar dat hoefde hij ook niet te doen. Hij maakte zich los en draaide zijn kop, zodat ze elkaar recht aankeken. En dat deed hij ook: hij keek haar in haar ogen. Niet vluchtig, maar een diepe, lange teug vol herkenning. Een blik die elke hartslag van de ruimte en nog meer bevatte, ongefilterd, rauw en puur. Het was zo'n blik die iedereen een keer zou moeten ontvangen, al was het maar één keer in zijn leven.

'Je hebt me gevonden,' zei ze. 'Of misschien hebben we elkaar gevonden. Het punt is in elk geval dat je hier bent. Ik had dus toch gelijk.'

April grijnsde. Niet zo'n arrogante, triomfantelijke grijns, want zo was ze niet. Het was een grijns van geluk, van blijdschap. Een aanstekelijk soort grijns.

'We zijn weer samen,' zei ze. En als ze zich niet vergiste, dan grijnsde Beer nu ook. Het was alleen wat lastig te zien. Misschien had hij ook wel gewoon honger.

'O!' riep ze uit. 'Ik heb iets voor je meegebracht.'

Ze maakte zich los van Beer, ritste haar rugzak open en doorzocht hem. Waar was dat ding? Ze gooide wat kleren uit de rugzak op de grond voor ze op de bodem eindelijk vond wat ze zocht: de pot pindakaas.

'Voor jou.'

Ze draaide het deksel ervan af en zette de pot tussen hen in op de grond. Zo at Beer het liefst, liever dan uit haar hand. (Het was ook veiliger op deze manier, voor het geval hij anders een vinger zou afbijten.) Had ze nu maar niet alle haverkoeken opgegeten. Ach, ja.

Ze wachtte tot Beer alles opat.

En ze wachtte nog wat langer. Maar ook al keek Beer naar de pot, hij kwam niet in beweging.

'Wil je niet?'

Beer likte zijn lippen. Hij had overduidelijk honger. Dus waarom at hij dan niet?

'Vind je het nu ineens niet meer lekker?' vroeg April, en ze keek hem verwonderd aan. 'Het is die met stukjes. Je lievelings.'

Ze duwde de pot iets naar voren met haar voet. Maar ook al draaide hij met zijn oren en likte hij zijn lippen weer, hij kwam nog steeds niet in beweging. De geur van de pindakaas hing al in de lucht – zoet en nootachtig en verleidelijk. Maar zelfs toen ze de pot voor zijn neus heen en weer bewoog, maakte Beer geen aanstalten om te eten.

'Wat is er, Beer? Wat is er mis?'

Beer draaide zijn kop, zodat hij niet langer naar April keek, maar naar iets wat zich achter hem bevond, daar waar hij vandaan gekomen was. Hij gromde erbij. Het was geen woeste grom; meer het geluid dat Aprils vader zou maken als April zonder links en rechts te kijken de straat overstak. Dan blafte hij haar toe, om haar te beschermen. April probeerde over Beers schouder heen te kijken, maar ze zag niets ongebruikelijks.

'Beer?' vroeg ze heel behoedzaam.

Beer had zich ondertussen helemaal omgedraaid en hij gromde weer. Ze wist dat hij haar nooit kwaad zou doen en toch huiverde ze even. Het noorderlicht flitste niet meer op aan de hemel

en nu leek alles ineens een stuk kouder en onher-
bergzamer.

'Wat is er mis, Beer? Is er iets aan de hand?'

Beer brulde luidkeels.

HOOFDSTUK TWEEËNTWINTIG

OP DE RUG VAN BEER

April had veel van Beers brullen gehoord in de tijd dat ze heel ver van elkaar verwijderd waren, alleen kwamen die voort uit haar verbeelding. Soms stelde ze zich voor dat hij brulde wanneer ze een extra dosis moed kon gebruiken, zoals vlak voor een presentatie, of op haar eerste schooldag of wanneer ze het moest opnemen tegen iemand die niet in klimaatverandering geloofde. Maar dat waren allemaal geen échte brullen geweest. Die waren maar alsof.

Het was zó anders om Beer in het echt te horen brullen. Het was een beetje alsof je het gekletter van een opengedraaide badkraan vergeleek met het woeste geraas van de Amazone.

De brul droeg over de toendra en vulde elke scheur, elke kier en elke holte. April had altijd gedacht dat als ze Beer weer terugzag, ze naast elkaar zouden staan om samen te brullen en te brullen tot hun stem er helemaal schor van was en hun hart helemaal vol. Maar ze voelde wel aan dat dit geen begroetingsbrul was.

'Beer, wat is er?' vroeg ze weer. 'Wat is er aan de hand?'

Hij keek haar smekend aan. April kende die blik. Die had hij ook gehad die dag dat hij haar zijn grot in de berg op Bereneiland had willen laten zien. Hij liet zich op zijn achterste in de sneeuw zakken en draaide met zijn oren.

'Je wilt dat ik op je rug klim, of niet?' vroeg ze. 'Je wilt me ergens naartoe brengen.'

Beer knipperde maar stond niet op.

April kauwde op haar lip. Ze had geen idee waar Beer haar heen wilde brengen en hoe ver weg dat zou zijn. Nu de storm was gaan liggen zouden papa, Tör en Hedda vast naar haar op zoek gaan. Het zou verstandiger zijn om hier te blijven. De hut bood beschutting en had een kachel en een voorraadje houtblokken. Het was zelfs mogelijk dat Finnegan en zijn hondenteam Hedda en de anderen hiernaartoe zouden leiden.

Ja. Hier blijven was wel zo slim.

Beer drukte met zijn neus tegen haar scheenbeen. Toen ze niet reageerde, duwde hij nog een keer, iets dringender.

'Beer?' Ze slikte. 'Maar… ik weet niet waar je me naartoe wilt brengen… Ik weet niet of ik hier weg moet gaan…'

Haar stem stierf weg toen ze de wanhopige uitdrukking op Beers snuit zag. En ondanks alles, wist April wat haar te doen stond.

Ze holde terug de hut in om haar notitieboekje uit haar tas te pakken. Ze scheurde er een bladzijde uit en schreef een briefje aan haar vader, zodat hij wist dat ze veilig en wel met Beer mee was gegaan.

Ze nam ook de tijd om de hut netjes op te ruimen voor ze haar spullen pakte. Natuurlijk ook de pot pindakaas, het half leeggegeten zakje pinda's en de laatste stukjes chocola. Er was geen ander voedsel in de hut dat ze kon meenemen, en ze kon alleen dragen wat in haar rugzak paste. Maar ze nam nog wel de lucifers en een mes mee, en beloofde die ooit te vervangen.

Met nog een laatste blik op de hut en de veiligheid die hij haar bood, trok ze de deur achter zich dicht. Buiten zat Beer nog steeds op haar te wachten. Zodra hij haar zag naderen, begonnen zijn ogen te stralen.

'Ja, ik ben er nog,' zei ze en ze wreef over zijn neus.

Het was lang geleden dat ze voor het laatst op Beers rug was geklommen. Maar zodra April zich op zijn zachte vacht liet zakken en haar benen tegen hem aan drukte, was het net alsof ze na een vakantie weer in haar eigen bed kon ploffen. Ze slaakte een zuchtje van tevredenheid. Ook al was ze wat groter en Beer wat breder, ze paste nog steeds perfect op zijn rug.

'Ik ben er klaar voor,' zei ze en ze gaf hem een klopje op zijn nek.

Beer zette een paar voorzichtige eerste stappen, alsof hij er rekening mee hield dat April misschien niet meer wist hoe ze zich moest vasthouden. Maar het duurde niet lang voor hij zijn pas versnelde en wegliep bij de hut, recht over de weidse, platte sneeuwtoendra, op weg naar de witte horizon. Nu Beer haar warm hield, leunde April verder naar voren, tegen de wind in, en hield ze zich vast aan de plukken vacht in zijn nek.

En zo snelden ze voort.

Ze renden over bevroren fjorden, over ijzige vlaktes en door een landschap dat zo kaal en onbegroeid was dat je bijna niet kon geloven dat levende wezens het hier uithielden. Ze holden langs de bevroren zee die met puntige vingers naar boven wees en denderden door de sneeuw die nog helemaal puur en onaangeraakt en vers op de aarde lag. Ze bevonden zich midden in een niemandsland, ze had geen idee waar haar vader, Hedda of Tör waren, en op een of andere manier was dat nu ook niet belangrijk.

Voor het eerst sinds ze hier op Spitsbergen was, voelde ze iets vanbinnen losser worden wat een hele tijd heel strak aangetrokken had gezeten. Het voelde alsof ze de laatste beetjes beschaving achter zich liet en iets van zichzelf kon afschudden. Iets wat ze al meezeulde vanaf het moment dat ze Bereneiland al die maanden geleden had verlaten en naar huis was teruggekeerd.

Ze voelde zich tot leven komen.

Op de manier die je ook voelt op de kermis, of tijdens kerst of op de eerste dag van je vakantie, waardoor je het wilt uitgillen en joelen en lachen – allemaal tegelijk.

Het gevoel was zo sterk dat ze haar hoofd optilde en haar gezicht naar de hemel draaide en begon
te lachen. Het was een diep geschater, vanuit haar
buik en de kern van haar ziel, dat al haar vreugde
tot uitdrukking bracht. Vervolgens boerde ze ook
nog eventjes en sloeg haar armen weer stevig rond
Beers nek.

'Ik ben weer thuis, Beer!' riep ze zo hard als ze
maar kon. 'IK BEN THUIS!'

Beer had het onmogelijk kunnen begrijpen, en toch sprong hij door de lucht alsof hij het met haar meevierde. April schaterde weer en nam een flinke teug van de zoete, heerlijke noordpoollucht, die op een of andere manier anders dan gewone lucht smaakte – hij was levendiger, krachtiger, elektrischer.

Ze bleven maar door de sneeuw hollen.

Ze renden langs een stel poolvossen, en een handvol witte sneeuwhoenders die nogal hopeloos naar de grond pikten stoven uiteen. Ze renden door een kleine kudde rendieren, die hen nieuwsgierig aanstaarden voor ze hun aandacht weer op de taaie struikjes richten die zich onder de sneeuwlaag bevonden. April wenste heel even dat ze een pauze konden nemen. Ze had nog nooit eerder een rendier gezien. Niet in het wild. Maar Beer denderde verder, tot ze hem hees kon horen hijgen. Haar vingers en tenen tintelden van de kou.

Het voelde alsof er uren verstreken waren voordat Beer bleef staan in de schaduw van een puntige berg.

Hij zakte opnieuw door zijn achterpoten en April liet zich van zijn rug glijden. Haar lichaam was verstijfd, maar in haar hart was ze zielsgelukkig.

Ze hadden de kust bereikt, ook al zag je in dit deel van de wereld geen golven het strand op rollen. Hier was de zee plat en onbewogen, verborgen onder een dikke laag ijs. Op sommige plekken zag ze waar de ijsplaten met elkaar waren vergroeid – de in elkaar grijpende uitsteeksels leken net de randen van een legpuzzel. Het was deze bevroren vlakte die de ijsberen hun vrijheid gaf en ze in staat stelde om rond te lopen en op zeehonden te jagen, zodat ze genoeg konden eten voor de lange zomer die er weer aan kwam.

Toch was het niet de zee – hoe indrukwekkend die ook was – die haar aandacht trok.

Het was de gigantische gletsjer die ver boven hen uittorende. Een blauwe wand die glinsterde als kristal. De gletsjer was ooit begonnen als een laag vers gevallen sneeuw die door de eeuwen heen werd aangestampt en platgedrukt tot een massieve, schuivende ijsmassa. Ze herinnerde zich wat papa had gezegd, dat het levende, ademende dingen waren – en zo dicht bij het hart van de natuur als je maar kon komen.

In het midden van de gletsjer was een ijshol

gevormd. Toen April erin staarde, bekroop haar het vreemde idee dat ze in de baarmoeder van de Noordpool keek.

Het was een V-vormige ingang.

Naar iets wat schaduwrijk en verborgen was.

Beer kwam dichterbij en bleef vlak buiten de grot staan voor hij zijn kop weer omdraaide naar April. Hij hield hem schuin en keek haar op een bepaalde manier aan. De betekenis was overduidelijk.

April slikte en voelde al haar vrolijkheid in die stille, kille lucht verdampen. 'Wil je dat ik daar naar binnen ga?'

HOOFDSTUK DRIEËNTWINTIG

DE IJSGROT

An het moment dat April was weggezonken in het troebele donkere water van de Barentszzee en bijna was verdronken had ze een angst voor donkere ruimtes overgehouden. Deze grot zag er ook nogal donker uit – zo'n duisternis die mensen met huid en haar kon opslokken en dan alleen nog hun schaduw uitspuwde.

Ze slikte moeizaam.

Naast haar schraapte Beer met een voorpoot

door de sneeuw. Zelfs zonder woorden was het duidelijk dat hij wilde dat ze hem de grot in zou volgen. Hij gaf haar een duwtje tegen haar schouder om er zeker van te zijn dat de boodschap overkwam.

'Het is al goed, Beer,' zei ze, en ze slikte opnieuw. 'Ik… Ik heb even een paar tellen nodig.'

Het was niet dat ze aan hem twijfelde. Ze vertrouwde Beer met haar leven.

Ze wist alleen niet zo goed of ze wel wílde weten wat er in die grot zat. Er was iets met Beer. Hij had zijn oren plat tegen zijn kop gedrukt en zijn neus bewoog op en neer, maar er hing ook iets aarzelends om hem heen wat ze nog nooit eerder had gezien. Het bezorgde haar een ijskoude rilling.

'Dit is de reden dat ik hierheen moest komen, of niet, Beer?' April trok haar jas steviger om zich heen. Nu ze niet meer op Beers rug zat, was de lucht bitterkoud en hij sneed dwars door haar kleren heen. Ze stak haar hand uit en legde die op Beers vacht voor de warmte. 'Ik ben er klaar voor.'

Bij de ingang van de grot stonden al pootafdrukken van een beer. April ademde diep in en liep naar binnen.

Haar ogen hadden een paar minuten nodig

om te wennen. Ze had zich ooit wel eerder in een grot aan zee gewaagd, maar die was zo donker en vochtig geweest dat ze meteen rechtsomkeert had gemaakt. Maar tot haar verrassing was de ijsgrot in de gletsjer niet donker. Boven hun hoofd leek de boog van helderblauw ijs haast gemaakt van kristallen, en de wanden om haar heen glommen en glinsterden.

'Wat prachtig,' mompelde ze. Ze zou het liefst even blijven staan om alles op zich te laten inwerken, maar ze voelde Beers adem tegen haar rug, alsof hij haar verder duwde.

Ze kwamen dieper in de grot en het licht van buiten verdween. De blauwe kleuren waren hier gedempt en de temperatuur daalde nog verder. April struikelde, en toen ze overeind kwam zag ze Beer zo roerloos stilstaan dat hij net een standbeeld leek.

'Wat is er?' fluisterde ze en ze voelde iets kouds en klams over haar rug glijden.

De grot werd steeds smaller en Beers neus wees verder naar het einde, waar het donker en schaduwrijk was. April aarzelde. Ze wilde er eigenlijk liever niet naartoe.

Ze legde een hand op Beers schouder om zichzelf moed te geven. Ze deed een stap naar voren en liet haar ogen rustig aan de duisternis wennen.

Helemaal aan het einde van de grot zag ze iets op de grond liggen.

Diep vanbinnen wist ze al wat het was. Haar ziel bereidde haar al voor, en toch zette ze nog een stap. Niet omdat ze dat wilde, maar omdat het juist was. En omdat Beer dat van haar wilde.

In het verste en donkerste uithoekje van de grot, waar de gletsjer kraakte en kreunde en fluisterde, lag een ijsbeer. De ogen waren gesloten en de beer leek te slapen.

Maar April wist dat dit geen slaap was.

De beer was ernstig vermagerd. Ze kon elke rib zien en de puntige heupbotten staken als messen omhoog. April had wel eerder met de dood te maken gehad: een kat die langs de weg lag, een das in hun oude achtertuin, de rauwe blik van verdriet in haar vaders ogen.

Maar nog nooit op deze manier.

April probeerde de juiste woorden te vinden, maar er kwamen alleen gevoelens naar boven. Een gekreun. Een gejammer. Een snik. Iets wat hard en broos was.

Ze keek naar Beer.

Hij stond met gebogen kop en zijn oren slap tegen zijn vacht. In het blauwe licht van de grot waren zijn ogen dof en uitdrukkingsloos. Maar het werd nog erger toen hij een stap naar voren deed en zijn neus tegen de kop van de andere beer drukte, alsof hij haar wakker wilde maken.

'Ze was je partner, of niet?' fluisterde April. 'O, Beer! Het spijt me zo. Het spijt me zo ontzettend.'

April kon het niet meer aan. Ze sloeg haar armen om Beer heen en drukte zich tegen hem aan. Niet dat dat iets zou veranderen; ze wist uit ervaring met de dood van haar moeder dat niets dat ongedaan kon maken. Maar ze deed het om hem te laten weten dat ze met hem meeleefde. Dat ze er altijd voor hem zou zijn. En soms is dat alles wat je nodig hebt, dat iemand je dat laat weten.

In eerste instantie bewoog Beer niet. Het ijs kraakte en knerpte om hen heen en April vreesde dat ze iets verkeerd had gedaan. Misschien wilde hij liever alleen zijn met zijn verdriet, net zoals haar vader. Maar toen voelde ze zijn snorharen in haar nek kriebelen en Beer legde zijn kop langzaam weer op haar schouder. April tilde haar arm op, hing die om hem heen en drukte hem tegen zich aan.

Op die manier kon ze een deel van zijn pijn wegnemen.

Zelfs toen zijn kop heel zwaar begon te worden, liet ze hem niet los. Ze begon in plaats daarvan heel zachtjes tegen hem te praten. 'Ik ben blij dat je iemand hebt gevonden, Beer. Ik hoopte het al, vooral nadat je zo lang in je eentje op dat eiland had gezeten. Het spijt me wel dat het zo is gelopen. Ik zou willen dat ik haar weer tot leven kon wekken. Als ik dat kon, zou ik het duizend keer voor je doen.'

Ze wist niet zeker hoe de beer was overleden. Misschien was ze ziek, maar April vermoedde van niet.

'Ze is verhongerd, of niet?' vroeg ze, en ze maakte zich los om Beers snuit beter te kunnen zien.

Beer reageerde niet. April voelde de waarheid door haar botten kruipen, zoals smeltwater ooit door deze gletsjer stroomde en deze grot had gevormd.

'O, Beer.'

April had zich als mens nog nooit zo nutteloos gevoeld als nu. Het was hun schuld dat de temperaturen op de hele planeet alleen maar stegen.

Voor de gemiddelde mens klonk het misschien niet zo heel belangrijk dat het zee-ijs smolt. Maar voor de dieren die ervan afhankelijk waren in hun voortbestaan was het alles. Ze wilde schreeuwen en huilen en met haar voet stampen van woede.

Tegelijkertijd was er iets wat haar niet met rust liet. Had Beer haar echt om deze reden teruggeroepen naar Spitsbergen? Want het was niet heel logisch. Hij was verdrietig en wanhopig, maar ze wist dat mannetjesijsberen nooit lang bij hun partner bleven, niet zoals mensen. En niet omdat ze niet om elkaar gaven, maar omdat wilde dieren nu eenmaal anders waren, en ijsberen al helemaal. Voor hen was het vinden van een partner een manier om het voortbestaan van hun soort te garanderen. Het had niets te maken met liefde of al die sentimentele dingen die mensen erbij voelen. Dus wat wilde hij precies dat zij nu zou dóén?

Ze pijnigde haar hersens, op zoek naar antwoorden. Op dat moment gromde Beer.

Het geluid was zo onverwacht dat April ervan schrok.

'Beer?' Voor zover ze zich kon herinneren had hij nooit op die manier tegen haar gegromd. Was hij boos op haar? Vond hij dat het op een of andere manier haar schuld was? En misschien was dat in zekere zin ook wel waar…

'Ik… Het spijt me. Het spijt me dat dingen niet snel genoeg veranderen,' zei ze, al wist ze dat een verontschuldiging lang niet genoeg was.

Maar Beer leek niet boos op haar. Sterker nog, hij keek niet eens haar kant op. Met een voorzichtige pootstap was hij naar voren gegaan, zodat hij vlak voor de andere ijsbeer stond. Hij liet zijn kop zakken en bewoog zijn oren.

Nieuwsgierig sloeg April hem gade.

Hij stopte met grommen en maakte een heel nieuw geluid. Iets wat April hem nooit eerder had horen doen. Het was geen piep of brul, geen grom of boer. Het leek meer een zucht. Anders kon ze het niet omschrijven. De zucht die een moeder slaakt als ze naar haar pasgeboren baby kijkt. Een zucht vol liefde en verwondering en ontzag.

April zette grote ogen op.

'Beer?'

Hij keek naar haar om en in dit licht leken zijn ogen juist bijna blauw. Ze glommen met iets regenboogachtigs, iets sprankelends.

Hij deed langzaam een stap opzij.

En daar, uit de verborgen duisternis van de grot, kwam iets tevoorschijn, op vier wankele pootjes. Een ijsbeerwelpje.

HOOFDSTUK VIERENTWINTIG

HET WELPJE

'O, wauw!' riep April. 'O, Beer!'

De welp was zo groot als een puppy. Zijn vacht was zo helder en stralend wit en de plukjes staken alle kanten op. Hij of zij – April kon het niet zien – had wat sneeuwvlokjes op zijn snuit en zijn donkerbruine kraaloogjes staarden haar ondeugend aan. Zijn kopje met de zachte, pluizige vacht was ronder dan de kop van Beer. En hij was zonder enige twijfel het schattigste wat ze ooit had gezien.

'Hallo kleintje,' zei April vriendelijk.

Ze hurkte neer op een veilige afstand. Wilde dieren waren vaak uiterst beschermend tegenover hun jongen en konden gevaarlijk worden als je te dichtbij kwam. En zelfs al was dat wilde dier Beer, dan nog moest ze enorm op haar hoede blijven. Maar hij leek het niet erg te vinden dat ze dichtbij kwam, misschien doordat hij zoveel vertrouwen in haar had. Toch hield April zich roerloos en bleef ze zo kalm mogelijk.

Na een paar minuten geduldig te hebben gewacht, werd het welpje dan toch nieuwsgierig. Hij kwam uit zijn hoekje vandaan en snuffelde vragend om zich heen. Nu liep hij zigzaggend tussen de poten van Beer door, alsof hij verstoppertje speelde. Af en toe stak hij zijn kopje om een poot heen alsof hij wilde zien of April nog naar hem keek. Ze giechelde. Net als alle jonge wezens barstte dit kleintje van levensgeluk.

Weer moest April lachen, en toen hij dat hoorde, richtte het welpje zijn donkere kraaloogjes op haar. Met een wiebelende pas kwam hij naar voren tot hij vlak voor haar stond. Zo van dichtbij zag ze pas echt goed hoe wit en pluizig zijn vacht nog was, het leek net suikerspin. Het welpje be-

gon nu te snuffelen aan haar rugzak, die ze op de grond had gezet.

'O, is dát wat je wilt? Heb je soms honger?'

Natuurlijk! Daarom had Beer het voedsel niet willen eten! Hij wilde het bewaren voor zijn jong.

April draaide de pot pindakaas open en zette
die tussen hen in op de vloer van de grot.

'Dit vind je vast heel lekker,' zei ze. 'Het is mijn
lievelingseten, en ook dat van Beer.'

Het welpje keek van Beer naar April, toen naar

de pot en terug naar Beer voor hij wankele stapjes naar voren zette om er even goed aan te snuffelen. Toen stak hij zijn snuit zo in de pot.

'Kijk uit dat je niet klem komt te zitten!' zei April giechelend toen het welpje zijn snuit weer terugtrok. Er zat pindakaas op zijn neus en zijn snorharen. Beer boog zijn kop en likte het kleintje schoon. Als een echte papa.

Dus Beer had een jonkie?

April had het afgelopen jaar een hoop informatie over ijsberen verzameld. Een van de dingen die ze had geleerd was dat welpen tot twee jaar lang bij hun moeder blijven. De eerste drie maanden voeden ze zich met haar melk. De meeste mannetjesijsberen leven alleen en hebben na de paring weinig meer met hun nakomelingen te maken. Het feit dat Beer, de vader, nu nog bij de welp was, bewees des te meer dat er iets ernstig mis was.

Het welpje stak zijn roze tong uit om zijn lippen te likken en April was blij te zien dat hij het lekker vond. Ondanks al haar onderzoek had ze nog nergens iets gevonden over ijsberen die van pindakaas houden, al werd er wel gezegd dat ze een voorliefde hadden voor zoetigheid. De welp was nu klaar met eten en keek slaperig om zich heen. April stak haar hand naar hem uit en hij wankelde naar haar toe, klom op haar schoot en ging liggen.

'Dus jij houdt van pindakaas?' mompelde ze. 'Dat dacht ik wel.'

Er zat nog een klein kloddertje op zijn neus en dat veegde ze liefdevol weg. Ze besefte nu dat het welpje een jongetje was, en vond dat hij verrassend licht was, zo op schoot. April streelde met haar hand over zijn vacht. Ze voelde dat het jonkie mager was. Te mager.

Kippenvel kroop langs haar armen omhoog en ze huiverde.

Hoe gaf Beer zijn jong te eten nu de moeder dood was?

'Ben je daarom naar de haven gekomen?' vroeg ze. 'Was dat de reden dat je me riep? Wil je dat ik jouw kleintje red?'

Beer sperde zijn bek open en brulde.

HOOFDSTUK VIJFENTWINTIG

EEN BESLISSING

April keek omlaag naar het slapende welpje. Hij lag zo lekker warm op haar schoot en dat voelde geruststellend. Maar tegelijkertijd voelde April een enorme verantwoordelijkheid. Zoals alle jonge dieren en mensen, waren ijsbeerwelpjes ongelooflijk kwetsbaar. Om te overleven hadden ze regelmatig eten nodig, bij voorkeur moedermelk. Dat was uiteraard geen optie meer.

Dit was iets heel anders dan toen ze Beer redde.

Als ze hem op Bereneiland had achtergelaten, zou hij misschien geen heel gelukkig leven hebben geleid, maar hij zou het wel hebben overleefd. Nu lag dat anders.

Als ze geen eten vond voor het welpje, zou het sterven.

En dat zou April absoluut niet laten gebeuren.

Wat waren de mogelijkheden?

Ze zouden kunnen terugkeren naar de gammele pelsjagershut van gisteravond. Maar daar was ook geen voedsel, en bovendien had ze geen idee hoe ze de weg terug zou moeten vinden. De honden hadden haar ernaartoe gebracht, niet Beer.

Een andere optie was de welp naar Longyearbyen brengen. Maar aangezien ze geen flauw idee had van waar ze nu was, kon ze onmogelijk inschatten hoe ver ze van het stadje verwijderd waren. Al had ze zo'n angstig vermoeden dat ze een heel stuk verder noordwaarts waren gereisd. Het welpje zou het misschien niet eens zo lang volhouden zonder eten. Bovendien was het uiterst gevaarlijk om Beer zo dicht bij de bewoonde wereld te brengen. De laatste keer dat hij zich bij een stadje had laten zien, was hij neergeschoten. Ze wilde geen risico nemen dat zoiets weer zou gebeuren.

Dus welke opties bleven er dan over?

Er moest toch vast nog ergens een hut zijn – een pelsjagershut op een andere afgelegen plek? Maar hoe zou ze die moeten vinden? Ze konden niet op goed geluk maar een eind gaan rondwandelen. Nu het zo stevig gesneeuwd had, waren veel van die hutten misschien wel verborgen, mits je precies wist waar je ze kon vinden. En zelfs al zouden ze geluk hebben, dan was het nog niet zeker of daar voedsel te vinden was.

Nee. Er móést iets beters te bedenken zijn.

Ze ademde een paar keer diep in om te kalmeren. Het had geen zin om nu al in paniek te raken.

Denk na, April, denk na.

Ze pijnigde haar hersens tot er in haar achterhoofd opeens een vonkje opflitste. Hedda had iets gezegd… Tijdens de lunch op de tweede dag had ze papa verteld over de mijnwerkers die vroeger op Spitsbergen woonden. April had er niet naar geluisterd; die vond het onbegrijpelijk dat iemand dit prachtige landschap zou willen verstoren. Maar wat was het ook alweer…

O, wacht, ze wist het weer!

Hedda had verteld over de diverse kleine dorpjes. Een ervan was zo abrupt verlaten door de mijnwerkers en hun gezinnen dat ze al hun kleren en voorraden hadden achtergelaten. Dan zou er toch vast nog wel iets eetbaars in de keukens te vinden moeten zijn? De mijn was maar een paar jaar geleden gesloten. 'Ik vraag me af...'

April deed haar best om het welpje niet wakker te maken toen ze naar haar tas hengelde om de kaart van Spitsbergen erbij te pakken. Ze liet haar vinger over het papier gaan. Ah, eindelijk! Daar was Colesbukta, ofwel Colesbaai. Ze herinnerde zich de naam nog omdat die haar zo deed denken aan de kolen die ze uit de mijnen haalden.

Maar hoe ver hiervandaan was dat?

Dat was een stuk lastiger te berekenen. Voornamelijk doordat ze geen idee had waar ze was, maar ook al wist ze dat wel, dan nog leek het noordpoolgebied overal schrikbarend veel op elkaar.

Ze gokte dat ze zich nog steeds in het oosten bevonden, aangezien ze de kustlijn hadden gevolgd. Ze bewoog haar vinger op en neer over de rechterkant van de kaart. Als ze nou die puntige bergspits kon vinden die ze had gezien voordat ze de grot binnenging... Het slechte licht deed zeer aan haar ogen. Ze wilde het al opgeven toen ze hem vond.

April voelde haar maag samentrekken.

Ze was niet heel goed in het aflezen en uitrekenen van afstanden op een kaart, maar zoals ze al vermoedde, zag ze dat ze een heel eind van Longyearbyen vandaan waren. Colesbaai was gelukkig een stuk dichterbij – één duimbreedte naar het westen. Maar hoe lang was die duimbreedte in het echt? Ze wist het niet, dus ze duimde maar dat het zou meevallen.

'Het is onze enige kans, Beer,' zei ze, en ze haatte de trilling in haar stem.

Ze had ook geen idee hoe laat het was, maar de dag was vast al een heel eind gevorderd. Op dit moment zou ze er alles voor overhebben om te mogen liggen en slapen. Maar in plaats daarvan pakte ze haar rugzak er weer bij en haalde daar genoeg spullen uit om de slapende welp erin te kunnen stoppen. Ze deed de rugzak losjes dicht en hees hem op haar schouders. De belangrijkste spullen hield ze bij zich, zoals haar slaapzak en de dingen die ze uit de hut had meegenomen. Ze overwoog nog om haar notitieboekje achter te laten, maar besloot dat ze dat nog wel in haar trui kon wegstoppen. Ze zou wel wat extra kleren moeten achterlaten. Het was een risico om de paar bezittingen die ze had te verliezen, maar hopelijk kon ze in Colesbaai weer wat meenemen.

'Zo, jij zit in elk geval warm en veilig,' zei ze met een klopje op de rugzak. 'Dan moeten we nu echt gaan.'

April wist nooit zeker of Beer haar begreep. Niet haar woorden, in elk geval. Hij leek meestal te reageren op de toon van haar stem, dat doen dieren altijd. Maar deze keer reageerde hij helemaal niet, ook al had ze vrij duidelijk gesproken. Hij kwam niet dichter bij April staan, maar liep naar zijn dode partner op de grond. Hij liet zijn snuit zakken tot tegen haar schouder en gaf er een vriendelijk duwtje tegenaan.

Eerst wist April niet zo goed waar hij mee bezig was, maar het duurde niet lang voor ze het snapte.

Beer wilde afscheid nemen.

Het was een privéaangelegenheid en dat respecteerde ze. Daarom draaide April zich om. Ze vouwde haar handen ineen en stuurde een schietgebedje naar het universum – niet alleen voor deze beer, maar voor álle gesneuvelde beren en dieren op de hele wereld, vooral de dieren die door mensen waren verwond of gedood. Zij kon dat allemaal niet in haar eentje goedmaken. Maar ze kon wel laten merken dat ze er iets om gaf. En soms is ergens om geven het beste wat je kunt doen.

Zodra haar gebed klaar was, ademde ze heel diep in, met een trillende ademhaling. Ze veegde haar ogen met de rug van haar gehandschoende hand droog en draaide zich weer om naar Beers partner. 'Ik beloof je dat ik mijn best zal doen om je welpje te redden.'

HOOFDSTUK ZESENTWINTIG

DE MIJNSCHACHT

April kon niet inschatten hoelang het zou duren om bij Colesbaai te komen, maar na een paar uur begon ze te twijfelen of ze wel de goede kant op liepen. Er stonden geen wegwijzers en er waren ook geen andere aanknopingspunten. Ze zag alleen maar sneeuw, waar ze ook keek.

Het was hier wat dat betreft ook heel anders dan op Bereneiland. Daar had ze de geruststelling dat ze duidelijk zag waar het eiland ophield, en daar was papa altijd nog in de buurt. Hier waren die grenzen er niet. Alles bestond uit sneeuw en ijs, en kilometerslang waren er niets dan valleien, spitse bergtoppen en fjorden te zien.

Onder haar vingers voelde Beers vacht geruststellend aan, maar toen de zon langzamerhand uit de hemel begon te zakken, begon Aprils hart toch sneller te kloppen van ongerustheid.

Ze kwamen aan bij een donkere schaduw van een berg, en daar liet ze zich van Beers rug in de sneeuw glijden. Met zijn lijf als beschutting opende ze de rugzak om even bij het welpje te kijken. In het wild zouden welpjes ongeveer om de drie uur worden gevoed. De twee kraaloogjes keken haar dan ook smekend aan.

'Het is al goed, kleintje,' fluisterde ze toen hij een raar, mauwend geluidje maakte. 'Ik weet dat je honger hebt.'

Eigenlijk moest hij de melk van zijn moeder hebben, waarin alle voedingsstoffen zaten die hij nodig had. In plaats daarvan kon ze hem niets anders geven dan haar laatste stukje chocola en het restje pindakaas. Hij likte de pot gretig schoon.

Naast haar spitste Beer zijn oren. Ergens in de verte hoorde April een laag, kreunend geluid. Was het de gletsjer? Die maakten vaker van die ronkende geluiden. Of was het iets anders? Iets gevaarlijkers? April vouwde haar plattegrond voorzichtig open.

'Ik moet gewoon even kijken waar we nu zitten,' zei ze, en ze moest haar ogen samenknijpen in de vallende duisternis. 'Ik… dénk dat we wel de goede kant op gaan.'

Dat kon ze eerlijk gezegd helemaal niet zeker weten. Elke besneeuwde vallei leek als twee druppels water op de vorige. Met de besneeuwde bergtoppen ging het al net zo. Als Hedda hier was geweest, zou ze misschien kunnen helpen, al zou ze Aprils reddingspoging van het welpje ongetwijfeld afkeuren. Ze had overduidelijk laten merken dat beren volgens haar niet in de buurt van mensen hoorden te komen.

Weer hoorden ze dat geluid, en nu kwam Beer overeind en begon hij te grommen. Een herinnering aan vergeelde tanden in een grauwende mond deed haar huiveren. Was het een andere ijsbeer? Had die haar aanwezigheid en die van het welpje geroken? April wist namelijk dat een van de grootste gevaren voor het ijsberenjong niet alleen een gebrek aan voedsel was, maar ook dat hij ten prooi zou vallen aan andere hongerige beren. Snel trok ze de rugzak dicht om ervoor te zorgen dat het kleintje warm en veilig zat voor ze weer op Beers rug klom.

Onder de blauwpaarse hemel wandelden ze verder de nacht tegemoet. Het was een schaduwrijke, angstaanjagend donkere plek. Een plek die je verbeelding algauw parten speelde. Want dat was het met de Noordpool: al die ruimte en leegte was verontrustend. Vreemde, bijna buitenaardse geluiden galmden door de lucht, en een wel heel luide kreet had April bijna van schrik van Beers rug laten vallen. Op een gegeven moment was de vallei die ze hadden gekozen steeds smaller geworden en liep hij dood, waardoor ze een heel stuk terug moesten. Tegen die tijd was April ervan overtuigd dat ze verdwaald waren en bood alleen de Poolster aan de hemel haar nog hoop. Zolang ze die in het zicht kon houden, wist ze dat ze de goede kant op gingen.

Het leek een eeuwigheid te duren en toen de kou zich tot diep in haar huid had genesteld verscheen er aan de horizon een silhouet van iets angstaanjagends en onheilspellends. Toen ze dichterbij kwamen, zag April dat het een soort bouwwerk was van rottend hout en roestig metaal, met drie puntige uitsteeksels die als vingers de lucht in wezen.

'W-Wat is dat?' vroeg ze. Ze was zo verkleumd dat haar tanden klapperden.

Het was het lelijkste wat ze ooit had gezien en het gaf haar het gevoel dat er spinnen over haar huid kropen. Maar nog een stukje dichterbij en ze begon het te herkennen.

Het was de ingang van een mijnschacht.

Vroeger kwamen er veel mensen naar Spitsbergen vanwege de rijke kolenlaag vlak onder het aardoppervlak. Deze mijn was lang geleden gesloten, maar toch hing er een griezelige sfeer. Alsof er iets niet klopte.

Zelfs Beer kwam liever niet te dicht in de buurt. Alsof hij instinctief aanvoelde dat dit ding zijn vijand was. Maar de mijnschacht was wel een teken dat ze Colesbaai hadden gevonden. 'Het is ons gelukt, Beer,' zei ze opgelucht. 'We hebben het gered.'

Er was geen bord te bekennen, maar het kon niet anders dan dat ze Colesbaai hadden bereikt. Voorbij de verlaten mijnschacht stonden tien tot vijftien lelijke betonnen huisjes aan een vierkant pleintje. Alle huisjes zagen er hetzelfde uit, en de uitstraling was nogal somber. Als ze haar best deed, kon April zich voorstellen dat de schaduwen van het verleden hier rondwaarden. Ze slikte. Ze had hier geen teken van leven verwacht, maar er stiekem toch een beetje op gehoopt. Dat er in een van de gebouwtjes misschien een gloed te zien was, een warm en welkom licht en een vriendelijke, wijze persoon die haar verder kon helpen. Die het welpje van haar zou overnemen en haar kon zeggen wat ze nu moest doen. Zoals volwassenen dat hoorden te doen.

Maar in plaats daarvan kwamen de stilte en de verlatenheid van het dorpje op haar af.

'Het geeft niet, Beer,' zei ze en ze probeerde dapper te klinken. 'We gaan de huisjes een voor een af om te kijken wat we kunnen vinden.'

Beer zette een paar stappen en April deed haar best om haar toenemende ongemak van zich af te zetten. Ze was bang dat hiernaartoe gaan toch niet zo heel slim was geweest. Hedda had wel iets gezegd over extreme temperaturen die van invloed konden zijn op je denkvermogen. April schudde haar hoofd heen en weer alsof ze haar gedachten zo weer op orde kon krijgen.

Enorme sneeuwhopen waren tegen elk huisje

aan gewaaid, waardoor het onmogelijk was om een deur te openen. Het zou uren duren om alle sneeuw weg te scheppen.

Vanuit de rugzak klonk een zielig gekerm. Het welpje piepte met een gejank tussen dat van een kitten en een puppy in. In elke andere situatie zou Aprils hart ervan gesmolten zijn, maar nu maakte het gepiep haar attent op de dringende noodzaak iets te eten voor hem te vinden.

'Het komt wel goed,' mompelde ze. 'We zijn bijna binnen.'

Beer stond op wacht en April liep om de huisjes heen tot ze er een vond dat door de ligging aan het einde van de rij redelijk beschut lag tegen de ergste weersinvloeden.

Daar liet ze zich op haar knieën zakken en ze begon met haar vingers in de sneeuw te graven. Dat was een flink stuk lastiger dan het leek, want de sneeuw was opeengepakt tot een dikke laag ijs. Haar vingertoppen waren algauw gevoelloos en het leek alsof haar vingers elk moment konden afbreken.

Het welpje mauwde weer, nu nog klaaglijker. Het was een afschuwelijk geluid dat door merg en been ging.

April veegde weer sneeuw weg met haar handen, maar het had net zo goed een blok beton kunnen zijn. Er waren inmiddels bijna twee nachten voorbijgegaan sinds ze de anderen was kwijtgeraakt. Twee nachten waarin ze nauwelijks had kunnen slapen. Twee dagen waarop ze bijna niets had gegeten. Ze begon te snikken.

Ze kon dit niet. Het ging gewoon niet lukken. Niet in haar eentje, in elk geval.

'Beer!' schreeuwde ze. 'BEER!'

Het duurde even voor hij kwam opdagen en zodra hij er was, staarde hij haar nietszeggend aan. Ze was vergeten dat het soms een poosje duurde voor hij begreep wat ze wilde.

'W-We m-moeten naar b-binnen,' zei ze.

Ze wilde weer wat sneeuw wegscheppen om te laten zien wat ze bedoelde toen Beer met een schouder tegen de deur stootte en het hele ding het onder zijn gewicht begaf.

'Ja, zo kan het ook,' zei April toen ze over de brokstukken heen stapte. Ze voelde zich wel schuldig dat ze zo inbraken, maar het welpje mauwde van de honger en ze vond dat ze nu niet zo mal moest doen. Er woonde hier al jaren niemand meer en het was ook niet echt een thuis te noemen. Bovendien zou het welpje niet de enige zijn die het niet overleefde als ze buiten bleven.

Dan zou zij het ook niet redden.

Gelukkig kwam je via die kapotte deur op een afgesloten halletje uit, met weer een aparte deur naar een vierkante kamer. Elektriciteit was er niet, maar na een paar minuten in het donker stommelen had April wat kaarsen gevonden. Met de lucifers die ze uit de andere hut had meegenomen, kon ze die aansteken. In het flakkerende licht zag ze dat ze in een kleine, dichte ruimte stond die rook naar verouderde herinneringen. Er stond een versleten zitbank met leunstoel, ze zag een trap die waarschijnlijk naar een slaapkamer leidde en een deuropening naar een smalle keuken waar ze diverse kastjes en planken zag. Daar liep ze als eerste naartoe en ze trok elk deurtje en elke la open in een wanhopige zoektocht naar iets eetbaars. Ze vond een verzameling kookgerei, bestek, jachtmessen en zelfs een kurkentrekker. Maar al het voedsel dat hier ooit was bewaard, was allang verdwenen.

In plaats daarvan vond ze een dikke laag stof en een geur die in haar neus kriebelde.

'Het is oké,' zei ze tegen zichzelf, eigenlijk vooral bij wijze van troost. 'Geen reden voor paniek.'

Alleen was het lastig om die paniek niet toch te voelen, vooral nu het welpje steeds jammerlijker en zieliger begon te mauwen.

Beer was verdwenen. Waarschijnlijk had hij berendingen te doen en moest hij het gebied verkennen om te controleren dat ze hier veilig waren.

In zijn afwezigheid leek het huisje nog erger verlaten. Het voelde even alsof ze de enige persoon op de hele wereld was. Wat als Beer niet terugkwam? Wat als ze hier niet meer wegkwam? O, waarom had ze hen dan ook hierheen geleid! Waarom had dit haar zo'n goed idee geleken? April schopte uit frustratie tegen een kastje en ineens rolde er een enkel blikje onder vandaan dat daar waarschijnlijk een paar jaar geleden was achtergebleven.

Ze knielde neer om het met trillende vingers op te rapen.

'Custardpudding,' las ze nadat ze stof van het etiket had geveegd. 'Perfect.'

HOOFDSTUK ZEVENENTWINTIG

EEN EIGEN NAAM

Normaal gesproken zou April geen moment hebben overwogen om het blikje open te maken. Het was al een paar jaar over de houdbaarheidsdatum. Maar dit was een noodgeval. Ze doorzocht de keukenla nog eens. Waar was die blikopener gebleven? Ze had toch kunnen zweren dat ze er eentje had gezien daarnet. Ah. Hebbes.

Het blikje was wat roestig en de blikopener was nog roestiger, dus het ging niet heel eenvoudig.

'Eindelijk!' riep ze uit toen ze het deksel eraf had gekregen.

Ze rook eraan. De geur was nog best oké. De inhoud was een beetje ingedikt, dus roerde ze er met een vork in.

Hier moesten ze het maar mee doen.

April haalde het welpje voorzichtig uit de rugzak, en meteen vulde zijn gemauw de hele hut.

'Etenstijd,' mompelde ze tegen hem, en ze legde hem tegen zich aan met haar arm om hem heen.

Ze hield het blikje vlak voor zijn snuit, maar zo kwam er alleen maar een kloddertje pudding op zijn neus terecht. Het zag er zo mal uit dat April erom moest giechelen. Voorzichtig stak hij zijn tong uit om het weg te likken. 'Ja, goed zo! Je kunt het!'

Ze schepte wat pudding op haar vinger, opende voorzichtig zijn kaken en stak haar vinger toen in de bek van de kleine beer. Ze wist niet goed wat hij van de smaak vond, want hij maakte een gek geluidje. Maar hij had zo'n honger dat hij na een paar tellen toch aan haar vinger zoog. Ze slaakte een zucht van opluchting. Net als bij Beer voelde zijn tong verrassend zacht en glad. Toen ze hem een paar minuten op deze manier had gevoerd, zette het welpje een paar wankele stappen door de kamer. Hij botste tegen van alles aan voor zijn neus haar rugzak vond en hij met zijn poot ernaar uithaalde.

'Je ruikt iets, hè?' vroeg April toen hij zijn neus tegen haar tas aan drukte. 'Wat zit erin?'

Het welpje stak zijn kop in haar rugzak en trok hem er weer uit met het half leeggegeten zakje pinda's tussen zijn tanden geklemd. Hij schudde het heen en weer voor hij April met heldere, hoopvolle oogjes aankeek.

'En je hebt een naam nodig, vind je ook niet?' mompelde ze terwijl ze hem over zijn kopje aaide dat zo zacht en pluizig was. 'Ik kan je geen Babybeer noemen. Je hebt een eigen naam nodig. Een naam die echt bij jou past.'

Bij Beer was het niet zo moeilijk geweest om een naam te kiezen, maar voor het kleintje vond ze het lastiger. Ze wilde hem geen Pluisje of Fluffy noemen en ook geen Sneeuwvlok, want dat was veel te voor de hand liggend. Ze staarde naar hem in de hoop op wat inspiratie.

Het welpje likte inmiddels aan de binnenkant van het zakje pinda's en keek even op, alsof hij voelde dat ze iets tegen hem zei. Aan zijn snorha-

233

ren kleefde een klein stukje pinda.

'Ja, dat wordt het!' riep ze uit. 'Pinda! Die naam past perfect bij je!'

Op dat moment beukte een luide windvlaag in op het huisje en liet de deur trillen. Pinda piepte heel hard en sloeg zijn pootjes voor zijn ogen alsof hij zichzelf wilde beschermen.

'Sst, kleine Pinda, alles is oké,' fluisterde April. 'Je bent nu veilig. Je bent veilig bij mij.'

April bleef Pinda aaien tot hij gekalmeerd was. Toen klom hij behoedzaam op haar schoot, waar hij zich klein maakte en in slaap viel.

Ze hadden warmte nodig. Echte warmte. April legde Pinda voorzichtig in haar slaapzak en keek of ze de kachel aan de praat kon krijgen.

'Waar vind ik brandstof?' vroeg ze zich hardop af.

Ze doorzocht het huisje, maar vond niet meer dan wat restjes drijfhout en een oude krant. Uit nieuwsgierigheid bekeek April hem eens goed. De grootste kop op de voorkant kondigde de sluiting van de mijn aan. Verderop stond een artikel over de stijgende temperaturen en het Klimaatakkoord van Parijs.

De krant was al meer dan vijf jaar oud.

Ze verfrommelde hem en wilde de prop net door de kamer smijten toen Beer binnenkwam. Vergeleken met Pinda zag hij er eigenlijk wel reusachtig uit. April kon zich maar lastig voorstellen dat ook Beer ooit zo groot als een puppy was geweest.

Er was nauwelijks genoeg ruimte, maar Beer wist zich naar binnen te wurmen om naast haar op de grond te gaan liggen met zijn kop op zijn voorpoten. April voelde haar hart een sprongetje maken terwijl ze naar hem keek. Ze had zich zo geconcentreerd op Pinda's welzijn, dat ze bijna was vergeten te genieten van de hereniging met Beer.

Ze leunde tegen hem aan en zakte weg in zijn warmte. Het leek alsof hij ook iets meer tegen haar aan kroop, alsof hij blij was met haar nabijheid. Het was alsof ze gewikkeld was in een deken van duizend warmwaterkruiken. Misschien een wat muffe deken die naar vochtige vacht rook, maar hij was wel warm en knus.

Pinda piepte wat in zijn slaap en toen ze opkeek, zag ze dat Beer zonder te knipperen naar haar staarde. Ze voelde al zijn hoop op haar schouders rusten.

'We blijven de rest van de nacht hier,' zei ze overtuigder dan ze zich voelde. 'En in de ochtend doorzoeken we de andere huisjes om te kijken of daar nog wat eetbaars te vinden is.'

Het had geen zin om uit te leggen wat er zou gebeuren als ze geen voedsel kon vinden. Dus stak ze haar hand uit en aaide ze met haar vingertoppen over de zachte vacht onder Beers linkeroor. Precies waar hij het fijn vond.

'Het gaat ons wel lukken,' fluisterde ze. 'Ik beloof het.'

HOOFDSTUK ACHTENTWINTIG

BEKENTENIS

Nadat het vuur in de kachel was gedoofd, viel April tegen Beer aan in slaap. Hij lag aan haar ene kant, April lag met opgetrokken benen tegen zijn buik aan en de kleine Pinda was tegen haar aan gekropen. En ondanks alle omstandigheden was het heerlijk.

Ze voelde zich wat opgeknapt toen ze wakker werd, maar ook hongerig. Al had ze vast niet zo'n trek als Pinda. Die was over haar heen op Beers buik geklauterd en stond nu op vier wiebelige pootjes met zijn bek wijd open nadrukkelijk te mauwen.

'Ja, ik begrijp het, Pinda. Ik ga op zoek naar iets te eten voor je.'

Pinda moest haar op een of andere manier hebben begrepen, want hij piepte nu zo hard van blijdschap dat hij van Beers buik af tuimelde en met een zachte plof op de grond landde. Hij kwam wankel overeind en keek April verontwaardigd aan alsof het haar schuld was. Ondertussen had Beer een van zijn ogen geopend, maar zodra hij zag dat Pinda in orde was, sloot hij hem weer en sliep hij verder.

'Jij hebt dit allemaal al eerder meegemaakt, hè Beer?' zei April met een giechel. 'Welja, joh, laat hem maar aan mij over.'

Eerst voerde ze Pinda het restje van de pudding van gisteravond en bewaarde ze maar een heel klein likje voor zichzelf. Daarna trok ze haar laarzen, winterjas en handschoenen weer aan en zette ze haar muts op. Ze legde Pinda in haar slaapzak en trok de deur open.

In het lichtpaarse ochtendlicht kreeg April een veel betere indruk van het kleine dorpje van verlaten huisjes. Ze had gisteren de in verval geraakte mijnschacht wel gezien, maar niet de weggegooide stukken verroest metaal. Het was haar ook niet opgevallen dat Colesbaai in de smalle opening van een fjord lag die op dit moment bevroren was. Zelfs bij helder daglicht voelde het hier verlaten en vergeten.

April was van plan elk huisje binnen te gaan om te kijken of er voorraden waren achtergebleven. Maar net als gisteravond was het niet eenvoudig om binnen te komen. Net toen ze dacht dat haar vingers eraf zouden vallen (gelukkig had ze gevoerde handschoenen aan), begreep Beer waar ze mee bezig was en kwam hij de sneeuw met zijn enorme poten weggraven. Aan het einde van haar zoektocht had April nog drie blikjes pudding gevonden, een blik met perziken op siroop, een paar zakjes gedroogd stoofvlees en, wonder boven wonder, drie zakjes met pinda's. Ze had ook van alles gevonden wat niet eetbaar was, zoals nog meer drijfhout, een sauspannetje en wat lucifers.

Ze staakte haar zoektocht alleen om Pinda te eten te geven. Ze had ondertussen berekend dat hij elke vier uur iets nodig had. Kreeg hij het niet op tijd, dan liet hij zijn ongemak wel merken. Dan piepte hij luid of beet hij, heel af en toe, zelfs zachtjes in haar vinger. Gelukkig deed het geen pijn. In tegenstelling tot Beer was hij een kieskeurige eter en hij accepteerde het alleen als April hem met de hand voerde. Daarna moest ze wachten tot hij in slaap was gevallen voor ze zelf iets kon eten. Op die manier duurden de eetpauzes een eeuwigheid, maar dat vond ze niet erg. Voor Pinda zorgen gaf haar een warm, gelukzalig gevoel. Zoiets als het stralende gevoel wanneer de zon op je schijnt, zelfs op de somberste dagen.

Na de lunch zette April al het verzamelde voedsel en alle spullen op de grond om een idee te hebben van wat ze had. Aan de andere kant van de kamer was Pinda een spelletje verstoppertje aan het doen tussen Beers poten. Dat leek Beer toe te staan, tot hij ongeduldig werd. Toen tilde hij Pinda bij zijn nekvel op en zette hem op de slaapzak alsof hij hem wilde zeggen dat het zo wel weer genoeg was geweest.

April keek op.

Het was bijzonder, dacht ze, dat haar gevoelens voor Beer niet waren veranderd nu hij vader was geworden. Sterker nog, ze hield misschien nog wel meer van hem. Pinda ging liggen en maakte zich zo klein mogelijk. Beer ging ook weer liggen, met zijn kop op zijn voorpoten, en sloot zijn ogen.

'Het verbaast me niet dat je zo moe bent na alles wat je al hebt meegemaakt,' zei ze, en ze keek naar de met bloed bevuilde schram bij zijn achterste waar een schampschot zijn huid had geraakt. Ze voelde een vlaag van woede opkomen. Hoe kon Hedda nou geloven dat de béren het probleem vormden? Het waren juist de mensen die overal waar ze kwamen littekens achterlieten!

Nadat ze de laatste eetbare dingen op de grond had gezet, voelde ze dat de moed haar in de schoenen zonk. Hiermee zouden ze het misschien nog een nacht volhouden, hooguit twee. Op een gegeven moment was deze voorraad op, en dan? Pinda had eten nodig, anders zou hij heel snel verzwakken. En hij moest meer krijgen dan alleen pinda's en pudding. Hij had écht voedsel nodig, geschikt voor kleine ijsberen en vol voedingsstoffen. Haar maag knorde om haar eraan te herinneren dat zij ook wel wat gezond voedsel kon gebruiken. Nerveus keek ze opzij naar Beer, die lekker lag te slapen. Hij leek erop te vertrouwen dat zij wel een oplossing kon bedenken.

'Laten we maar eens beslissen wat de volgende stap is,' zei ze.

Hij keek op zodra hij haar stem hoorde.

'We kunnen hier blijven en dan kun jij proberen voedsel voor ons te vangen. Een zeehond of zo?' Beer keek haar aan alsof hij nog nooit zo'n idioot plan had gehoord. 'Ja, ik weet dat ik geen zeehond eet. Ik denk dat Pinda dat ook niet zal doen. Nog niet, in elk geval. Goed, die optie valt dus af. Ik geloof ook niet dat papa het zo'n prettig idee zou vinden.'

Meteen werd ze overvallen door schuldgevoel. Wat zou papa nu denken? Waren ze nog steeds naar haar op zoek? Vreesde hij dat ze was omge-komen? Ze voelde zich licht in het hoofd worden en zette die gedachten van zich af.

'We kunnen niet terug naar Longyearbyen. Dat is te ver weg. Hierheen gaan duurde gisteren al veel langer dan ik had gedacht.' De kamer was warm, maar toch huiverde ze bij de herinnering aan die lange reis over onbekend terrein in het donker.

Bovendien gromde Beer plots op een heel lage toon. Ze wist niet of dat kwam door de naam Longyearbyen of misschien een of ander gevaar in de verte waarvan zij niet op de hoogte was. Hoe dan ook, ze leunde naar voren en aaide over zijn snuit. 'Ik weet dat jou iets vreselijks is overkomen,' fluisterde ze tegen hem. 'En ik weet ook dat het een tijdje kan duren om nare dingen te vergeten. Dat heb ik dus met water. Ik… Ik ben niet meer in zee geweest sinds we van Bereneiland af kwamen, ook al wonen we nu aan de kust.' April zuchtte. 'Oma Appel zegt dat ik er gewoon weer in moet duiken. Maar ze snapt het niet. Niemand begrijpt het echt, als ik eerlijk mag zijn. Weet je, soms zijn de enige mensen die je echt begrijpen net degenen van wie je het niet verwacht. Zoals Maria.'

Beer keek haar vragend aan.

'O, ja, je weet natuurlijk niet wie dat is. Ze is papa's nieuwe vriendin,' zei April. 'Ze is lerares. Zij zei dat ik pas weer het water in hoef te gaan als ik daaraan toe ben.'

Ze wachtte even en pulkte aan een losse draad van haar trui.

'Is ze aardig?' Ze knikte schuldbewust. 'Ze is heel erg aardig. Ze draagt vrolijke sjaals in diverse kleuren, ze bakt flensjes met pindakaas en ze heeft van die luid rinkelende armbanden in de vorm van slagtanden. Uiteraard niet van echte olifanten. Maar ze komen wel uit Afrika. Ze reist graag naar nieuwe plekken. Daar gaat haar hart van open, zegt ze.'

Beer keek haar met een open en eerlijke blik aan. April sloeg haar ogen neer.

'Je hebt gelijk. Er is iets wat ik je niet vertel. Het zit zo… Ik had papa gewoon graag nog wat langer voor mezelf gehad. Is dat egoïstisch van me? Na mama's dood was hij zo lang afwezig en onbereikbaar. Niet dat hij weg was, of zo, maar hij was er vanbinnen niet,' zei ze. 'Toen we thuiskwamen van Bereneiland was hij helemaal veranderd. Hij werd… gelukkiger. We deden meer samen. Hij en ik, verder niemand! En toen… kwam Maria er ineens bij.'

April groef verder tot in de diepste delen van haar hart, waar de lelijkste emoties begraven lagen. 'De waarheid is… De waarheid is dat ik een beetje jaloers werd.'

Ze liet zich nu van haar slechtste kant zien en toch… Toen ze opkeek naar Beer besefte ze dat hij haar niet veroordeelde. Althans, lang niet zo erg als zij het zichzelf had kwalijk genomen.

Dat was de kracht van vriendschap. De kracht van de allerbeste soort vriendschap.

En vanaf deze kant bekeken besefte April opeens iets heel belangrijks. Het was niet Maria die ze niet aardig vond. Het was zelfs niet deze heel nieuwe kant van haar vader. Het ging meer om het feit dat alles aan het veranderen was – zelfs de planeet onder haar voeten. 'En soms gaat dat zo snel dat ik het eng vind... Maar zodra ik papa weer zie,' zei ze, want ze kreeg het niet over haar lippen om 'als' te zeggen in plaats van 'zodra', 'zal ik tegen hem zeggen dat ik blij voor hem ben. Ook als dat betekent dat ik een nieuwe moeder krijg.'

Op dat moment werd Pinda wakker. Hij keek om zich heen en begon luid te piepen en te mauwen. Het was uiteraard puur toeval, maar het leek even alsof het woord 'moeder' iets in hem had aangewakkerd.

'Beer,' zei April opeens enthousiast. Het was alsof er in haar hoofd opeens een lampje begon te branden, met een stralend en magisch licht. 'Ik geloof dat ik een plan heb.'

HOOFDSTUK NEGENENTWINTIG

HET PLAN

'Het is misschien wel het meest idiote plan dat iemand ooit heeft bedacht, maar herinner je je Lise nog?' vroeg April. 'Zij stond ons op de kade op te wachten toen we met de boot aankwamen in Longyearbyen.'

Beer geeuwde. Nee, natuurlijk herinnerde hij zich dat niet. Hij had haar hooguit een paar tellen gezien.

'Het belangrijkste voor jou is dat ze bijna net zo

dol is op ijsberen als ik,' ging April verder. 'Daar-om is ze naar Nieuw-Friesland gegaan om de kraamholen in de gaten te houden. Dus ik dacht... wat als wij daar nou ook eens naartoe gaan? Dan nemen we Pinda mee, en misschien kunnen we proberen een nieuwe moeder voor hem te zoeken. Een ijsbeermoeder.'

Alsof hij haar opwinding aanvoelde begon het welpje te piepen – een stuk luider dan daarnet. April aaide hem over zijn zachte snuit en hij likte hongerig aan haar vingers.

'Weet je wat het is, Beer? Ik kan Pinda niet blij-ven voeren. Niet voor altijd. Niet omdat ik het niet wíl,' zei ze meteen haastig, 'maar hij kan niet bij mij blijven. Hij heeft een échte moeder nodig. Geen mens, maar een ijsbeer, die hem kan voeden en hem alles kan leren wat ijsberen moeten kun-nen om in het wild te overleven.'

Beer verschoof wat en leek haar te bestuderen. In het sombere licht van het huisje was het lastig te zien wat hij van haar plan vond.

'Ik wil hem niet kwijt,' zei April zacht, 'als je dat soms denkt. Net zoals ik jou niet wilde achterla-ten. Die dag dat ik afscheid moest nemen van jou was de ergste dag van mijn leven. Na alles wat we samen hadden meegemaakt. Maar het punt is dat jij nu oud genoeg bent om het verschil te weten tussen mij en andere mensen. Maar Pinda is nog zo jong. Hij heeft zijn hele leven nog voor zich. En als hij bij mij blijft, raakt hij veel te gewend aan mensen. En ik denk niet... ik geloof niet dat dat een heel goed idee is. Hij moet opgroeien en weten dat niet alle mensen aardig zijn. Ze zullen niet allemaal zo vriendelijk voor hem zijn.'

Pinda was weer in slaap gevallen, met zijn kopje op haar handpalm. Het was zo'n klein schepsel dat haar zo volledig vertrouwde, en ze voelde een steek in haar hart bij het idee hem te moeten laten gaan. Gevolgd door een tweede steek bij het besef dat ze Beer ook zou moeten laten gaan. Opnieuw.

'Wist je dat sommige kinderen op school mij het Berenmeisje noemden?' vroeg April. 'Ik vond het vreselijk. Niet omdat ze me plaagden, maar omdat ze me niet serieus namen.'

Beer gromde. Hij was zo bekend met de trillingen van Aprils stemgeluid dat hij aanvoelde wanneer ze van streek was.

Ze stak haar andere hand uit en liet haar vingers in zijn dikke vacht verdwijnen. Die was een stuk ruiger dan die van Pinda, maar voelde even warm en prettig.

'Het geeft niet. Ik wás ook wel een beetje anders dan de anderen. Dat krijg je ervan als je half beer bent. Dan val je vanzelf op. Het is echt niet zo dat ik geen moeite deed om erbij te horen. Ik heb heus mijn best gedaan,' zei ze. 'Papa dacht dat het makkelijker zou zijn om ergens anders helemaal opnieuw te beginnen. Maar dat viel tegen. Dat herinnerde me er alleen maar extra aan dat ik anders ben dan andere kinderen.'

April wachtte even. Ze had al heel lang niet meer gepraat over haar diepste gevoelens. Zo lang dat ze bijna vergeten was hoe fijn het kon zijn om ze juist wel aan iemand toe te vertrouwen.

'Daarom wil ik dus niet dat Pinda ook zoiets overkomt. Dat is veel te gevaarlijk voor hem.'

Beer zweeg.

'Kijk, we zijn nu hier,' zei April en ze pakte de kaart erbij. 'Het kamp waar Lise zit is daarzo. In het noordelijke deel van Spitsbergen. Dat is een stuk dichterbij dan Longyearbyen. En voor jou is het daar ook veiliger. Lise zal je geen kwaad doen. Ik ga niet zeggen dat het eenvoudig is om daar te komen,' zei ze een stuk dapperder dan ze zich voelde, 'maar erg veel keus hebben we niet.'

HOOFDSTUK DERTIG

HULP

April probeerde de diverse gaten in haar plan te negeren, vooral nu ze Pinda moest dragen en extra voedsel had dat mee moest. Toen ze haar rugzak inpakte, werd algauw duidelijk dat er niet genoeg ruimte was om alles mee te nemen. Ze zou nog meer kleren en voedselvoorraden moeten achterlaten.

Toch probeerde ze haar twijfels opzij te zetten. Ze kon hier blijven, of ze kon een poging wagen.

En iets doen was altijd beter dan niets doen.

April liep naar buiten en moest twee keer slikken om haar zenuwen de baas te blijven. De dag leek nóg kouder geworden, als dat mogelijk was, en de ijskoude, snijdende wind kwam rechtstreeks uit het noorden. Hij blies zo hard dat ze een paar keer nodig had voor ze veilig en wel op Beers rug zat.

'Ik ben er klaar voor,' zei ze, en ze slikte weer.

De wind blies zo hard in haar gezicht dat April zich heel klein maakte en zich tegen Beers rug aan drukte. Dat was een stuk lastiger dan je zou denken als je zelf een vrij grote rugzak droeg met daarin een ijsbeerjong. Toen ze het kleine dorpje verlieten, keek April nog een laatste keer achterom. Ze vond het groepje verlaten gebouwtjes nog steeds griezelig, maar het was een warm onderdak geweest en nu gingen ze het onbekende weer tegemoet.

Ver kwamen ze niet.

Ze hadden de mijnschacht nog maar net achter zich gelaten of een plotselinge felle zijwind beukte op hen in.

Hij was zo krachtig dat er een flink stuk van het rottende hout afbrak en op April afvloog. Ze dook net op tijd opzij en probeerde zich vast te grijpen aan een pluk vacht. Maar ze greep mis. En gleed vervolgens zo van Beers rug af.

'Aaargh!' riep ze uit met een mond vol sneeuw.

Gelukkig leek Pinda ongedeerd. Maar dit had geen zin. Op deze manier konden ze niet verder! Ze probeerde te bedenken wat ze nu moesten doen toen Beer opeens begon te brullen. Zijn brul liet elk bot in haar lichaam rammelen en zelfs de mijnschacht schokte mee.

'Wat is er, Beer?'

Was het een storm? Een wilde ijsbeer die hen op het spoor was?

Aprils nekharen kwamen net overeind toen ze opeens een heel ander geluid hoorde. Het gejank van een hond. En geblaf. Nog meer geblaf. En het geluid van ijzers op het ijs.

'APRIL!'

Ze zat rechtop. Ze knipperde een keer. Twee keer. En ineens begon ze breed te grijnzen. Ze kon haar ogen niet geloven.

'TÖR!'

Hij remde de slee af, sprong eraf en wilde net naar haar toe hollen, maar zag toen Beers vertrokken snuit. Struikelend kwam hij tot stilstand en hij zag opeens lijkbleek. Finnegan en de andere honden blaften woest.

'Beer!' riep April meteen, terwijl de opluchting door haar hele lichaam spoelde. 'Kijk goed, herken je hem niet meer? Het is Tör! Hij heeft de vorige keer geholpen om je te redden. Hij is een vriend van ons!'

Beer bleef grauwen en liet zijn lange, scherpe tanden zien, tot aan zijn tandvlees. Zelfs April beefde eventjes. Beer mocht dan haar beste vriend zijn, maar dit bewees maar weer eens dat hij in zijn hart een echt wild dier was. Uiteindelijk gromde hij wat zachter en lager, maar hij hield Tör de hele tijd scherp in de gaten. Tör liep behoedzaam om hem heen en stak een hand uit om April overeind te hijsen.

'Ik ben blij je gezond en wel aan te treffen,' zei hij. Hij zette zijn sneeuwbril af en zijn blauwe ogen fonkelden van ondeugendheid.

April glimlachte naar hem. Ze had duizenden vragen, maar was zo blij om Tör en de honden te zien dat ze niet wist waar ze moest beginnen. Uiteindelijk koos ze voor de meest voor de hand liggende vraag: 'Hoe heb je me gevonden?'

Toen Tör eenmaal aanvoelde dat Beer hem niet

aan flarden zou scheuren, ontspande hij een beetje. Wel gebaarde hij dat ze maar beter in de opening van de mijnschacht konden schuilen, waar de wind minder luidruchtig gierde. Of misschien was dat wel om iets meer uit de buurt van Beer te blijven, die zelf op een behoedzame afstand van de negen sledehonden bleef.

'Het ene moment zei ik tegen je dat je je voet niet van de rem moest halen, en het volgende moment was je verdwenen!' zei Tör fronsend. 'Ik riep je naam nog, maar ik zag geen hand voor ogen met al die sneeuw. En toen keerden Hedda en je vader terug.'

Aprils maag verkrampte van schuldgevoel. 'Wat zei hij?'

'Hij wilde dat Hedda zo'n beetje onmiddellijk een zoektocht zou beginnen, maar zij hield vol dat de honden je wel in veiligheid zouden brengen. Ze zei dat we de storm eerst moesten afwachten, anders zouden we allemaal omkomen. De volgende ochtend wilden we vertrekken om je te zoeken… en toen kwamen de honden aan.'

'Het is ze dus gelukt om jullie te vinden!' April nam zich voor om ze allemaal stevig te knuffelen.

Tör knikte. 'Ze brachten ons naar de hut waar

jij de nacht hebt doorgebracht, en daar vonden we je briefje waarin je schreef dat je met Beer mee was gegaan.' Hij wachtte even. 'Je vader was ervan overtuigd dat je terug zou gaan naar Longyearbyen, net als de vorige keer. Dus stond hij erop om met Hedda naar het stadje terug te keren. Maar ik was er niet zo zeker van. Er stond niets in je briefje over waar je naartoe zou gaan, dus heb ik Hedda overgehaald om verder te mogen zoeken.'

'En dat vond ze góéd?!' vroeg April vol ongeloof. 'Geloofde ze echt dat ik met Beer mee was?'

'Nou, dat niet precies... Ze stemde ermee in dat ik jou zou gaan zoeken, maar ze denkt dat de Noordpool invloed heeft gehad op je denkvermogen. Volgens haar is het godsonmogelijk dat een meisje bevriend raakt met een wilde ijsbeer.'

Nu was het Aprils beurt om te grommen.

'Ze leek behoorlijk van haar stuk gebracht doordat ze die storm niet heeft zien aankomen,' ging Tör verder om maar over iets anders te beginnen. 'Ik denk dat ze zich verantwoordelijk voelt.'

April knikte. Dat kon ze wel begrijpen.

'Maar goed, ik heb de honden en ik heb de slee. We kunnen nu meteen richting Longyearbyen vertrekken en je vader laten weten dat je in orde bent.'

'Eh, ja…' begon ze voorzichtig. 'Nu je het er toch over hebt…'

'Wat?' vroeg Tör langzaam, en hij kneep zijn ogen tot spleetjes. 'Waarom trek je dat gezicht?'

'Ik ga niet terug naar Longyearbyen. Nog niet, in elk geval.'

'Waarom niet?'

April wist dat ze Tör kon vertrouwen, maar toch ademde ze eerst even heel diep in voor ze de rugzak van haar schouders liet glijden. Ze ritste haar tas open en meteen hoorden ze gepiep. Zelfs in het donker van de mijnschacht zag ze Törs mond openzakken van verbijstering.

'Is dat wat ik denk dat het is?'

Ze knikte. 'Hij is denk ik iets van twaalf weken oud, misschien iets meer. Maar hij is de reden dat Beer me nodig had. Om hem te helpen. De moeder… De moederbeer is dood.' April slikte toen ze terugdacht aan de sterk vermagerde vrouwtjesijsbeer in de ijsgrot. 'Ik moet hem in veiligheid brengen, zodat er goed voor hem gezorgd wordt.'

'Je had hem beter kunnen achterlaten,' zei Tör.

'Dan was hij ook gestorven!'

'Ja, maar je kunt niet zomaar wilde ijsberen oppakken en meenemen. Dat is gevaarlijk, April.

Weet je wel dat andere mannetjesijsberen de jonkies doden? Je loopt als het ware met een doelwit op je rug.'

April drukte haar rugzak stevig tegen haar borst en schonk Tör haar allerbeste smekende blik. 'Daarom moeten we hem dus redden.'

'Wé?' Tör trok een wenkbrauw op.

'Ik wilde het in mijn eentje doen, maar het is makkelijker met extra hulp.'

'April Wood,' zei Tör met een grimas. 'Wat ben jij precies van plan?'

'Weet je nog die dag dat we vertrokken? Lise was net die ochtend met een groep vrijwilligers naar een buitenpost in het noorden gegaan. Ze wilden daar de kraamholen van de vrouwtjesijsberen in de gaten houden zolang de beren zich in hun hol schuilhouden. Om te kijken hoeveel kleintjes er zijn en hoeveel het overleven.'

Tör knikte langzaam.

'Ik ga Pinda daarnaartoe brengen.'

'Pínda?' herhaalde Tör, en hij schudde zijn hoofd. 'Waarom breng je hem dan niet naar Longyearbyen? Naar het Poolinstituut, net zoals je met Beer hebt gedaan? Ik kan jullie er nu rechtstreeks naartoe brengen. Het is een reis van een dag of twee, misschien iets langer, maar we kunnen er een redelijk tempo op na houden.'

April keek over zijn schouder naar de slee en de honden. Het zou inderdaad makkelijker zijn dan weer een onbekend gebied in trekken. Maar ze dacht aan Hedda's seinpistool en de keer dat ze een waarschuwingsschot had gelost naar die wilde ijsbeer. Ze herinnerde zich de angst en de wanhoop in zijn ogen nog heel goed.

'Nee,' zei April vastberaden. 'Ik kan Beer daar niet naartoe brengen. Het stadje is niet veilig voor hem. En bovendien moet Pinda opgroeien met andere beren om zich heen.'

'Dit is het meest ondoordachte plan dat ik ooit heb gehoord!' riep Tör uit. 'Dat wil zeggen, afgezien van het plan om in je eentje met een bootje de Barentszzee op te gaan in de hoop bij Spitsbergen aan te komen. Heb je enig idee hoe uitgestrekt en gevaarlijk dit noordelijke deel van de eilandengroep is? En daar wilde je in je eentje je weg zoeken? En je vader dan?'

April gaf geen antwoord. Ze drukte haar rugzak nog steviger tegen zich aan en keek hem eigenwijs aan. 'Sommige dingen zijn nu eenmaal groter dan dat. Ik ben voorbestemd om dit te doen, Tör, dat snap je toch wel? Het is de bedoeling dat ik Pinda red. Daarom wilde Beer ook dat ik hierheen zou komen. Daarom heeft hij me geroepen.'

Alsof hij de hartstocht in haar woorden kon horen, slaakte Beer op dat moment een brul. Geen zacht gebrom. Zelfs geen Berenbrul. Maar een heuse, zware brul namens alle beren op de hele Noordpool die hulp nodig hadden om te kunnen overleven.

Bij wijze van antwoord stak Pinda zijn kopje uit de rugzak, opende zijn bek en slaakte een schattig brulletje. Lang niet zo luidkeels als die van zijn vader, maar wel een echte babybrul.

'Zie je wel? Pinda is het met me eens!'

Tör sloot zijn ogen. Toen hij ze weer opende keek hij April een hele tijd aan.

'Dan kunnen we maar beter opschieten.'

HOOFDSTUK EENENDERTIG

HET NOORDERLICHT

Voor ze hun reis voortzetten, keerden Tör en April heel kort terug naar het verlaten dorpje om de kleren en voorraden op te halen die April noodgedwongen had moeten achterlaten. Ze was helemaal blij toen ze zag wat Tör aan extra voedsel en gereedschappen bij zich had op de slee.

Tör wilde ook eerst de route nog even bestuderen. Hij pakte de inmiddels gekreukte kaart erbij en bewoog zijn vinger over het papier.

'Als het goed is, moeten we Nieuw-Friesland morgen kunnen bereiken. Maar eerst moeten we de Wijdefjord oversteken.'

April keek naar de plek die hij aanwees op de kaart.

'Dit is een van de breedste fjorden van heel Spitsbergen,' zei hij met gefronste wenkbrauwen. 'We zouden eromheen kunnen gaan, maar dan zijn we een paar dagen langer onderweg. De snelste route is rechtstreeks eroverheen, en dan maar hopen dat het water goed dichtgevroren is. Rond deze tijd van het jaar zou dat moeten lukken.'

Er gleed een schaduw over zijn gezicht, maar voordat April daar iets over kon vragen, drukte Tör de satelliettelefoon in haar handen.

'We moeten je vader bellen,' zei hij, 'en hem laten weten dat je veilig bent.'

April pakte de telefoon aan. Ze was nooit erg goed geweest in telefoongesprekken, laat staan wanneer haar vader aan de andere kant van de lijn ongetwijfeld laaiend zou zijn. Maar ze moest hem inderdaad wel laten weten dat ze in orde was. De satelliettelefoon stond bekend om zijn onbetrouwbaarheid, maar nadat ze het nummer een paar keer opnieuw had ingetoetst, ging de telefoon zowaar over.

'Tör! Is er nieuws?' Aprils ingewanden verschrompelden bijna toen ze hoorde hoe uitgeput haar vaders stem klonk. 'Hallo? Hallo?'

'Dit is niet Tör,' zei ze zacht. 'Ik ben het. April.'

'April!' riep haar vader uit op een toon die ze lange tijd niet meer had gehoord. Het was opluchting vermengd met angst en heel even voelde April een felle steek van heimwee naar hem en zijn anijssnoepjes en zijn warrige haar. 'O, goddank, je bent veilig!'

Ze knikte, maar besefte toen dat hij haar niet kon zien. 'Ja,' zei ze, 'ik ben in orde.'

'M-maar waar ben je? Wat is er gebeurd? Waar heb je gezeten?' Papa's vragen rolden zo snel achter elkaar naar buiten dat Aprils hoofd ervan tolde.

'Ik ben in Colesbaai,' zei ze, en ze legde kort uit hoe ze daar terecht was gekomen en waarom. Toen ze haar verhaal eenmaal had gedaan bleef het zo lang stil aan de andere kant van de lijn dat ze niet zeker wist of de telefoon het nog deed. 'Hoor je me?'

'Ja,' zei hij langzaam. 'Ik hoor je... Maar ik kan

het maar moeilijk bevatten. Heb je enig idee hoe bezorgd ik was? Ik was als de dood bij het idee dat je daar in je eentje ergens rondzwierf! En je wilt nu wáárnaartoe?'

Zo hardop klonk het nogal idioot allemaal, dat moest ze zelf ook toegeven. Misschien was het dan toch beter om terug te keren naar Longyearbyen? Dan kon papa in elk geval ook helpen. April keek om en zag Tör de slee controleren, de honden al opgewonden kwispelen en daar zag ze ook Beer, die geduldig op haar stond te wachten.

'Naar Nieuw-Friesland,' zei ze en ze rechtte haar schouders. 'Om Pinda te redden.'

Papa ging een paar minuten behoorlijk tekeer, maar aangezien hij zo ver weg was, kon hij toch niets doen om haar tegen te houden. Ze werd gered door de telefoon, want de lijn begon steeds harder te kraken en uiteindelijk hoorde ze hem helemaal niet meer.

'Ik kan... niet... doen!' riep hij met een duidelijke angst in zijn stem.

'Het spijt me, pap,' fluisterde ze, wetende dat ze haar belofte aan hem hierbij verbrak. 'Ik... Ik hou van je.'

De verbinding werd verbroken en ze legde de

telefoon met trillende handen neer. Ze had even nodig om zich te herpakken. Daarna dwong ze zichzelf te glimlachen en stak ze beide duimen op naar Tör, die de honden aan het harnas bond. Het had geen zin om hem te laten weten hoe papa over dit idee dacht.

'Met wie ga jij mee?' vroeg Tör.

Tot nu toe had Beer zich op een veilige afstand gehouden. Dat was niet Törs schuld, hij deed niets verkeerd. Beer was nu eenmaal als wild dier geboren en de meeste wilde dieren vertrouwen de mensen niet. Vooral niet als ze niet April waren.

April keek van de slee naar Beer en weer naar de slee.

Het was logisch om met Tör mee te rijden. De slee was redelijk comfortabel en een heel stuk warmer en waarschijnlijk minder gevaarlijk. Ze wist dat ze Finnegan en de andere honden kon vertrouwen. Het zou de verstandigste keuze zijn.

'Ik ga met Beer,' zei ze.

'Ik vermoedde al dat je dat zou zeggen. Jullie tweetjes zijn echt onafscheidelijk.'

'Drietjes,' verbeterde ze hem. 'We zijn nu met z'n drietjes.'

Tör rolde met zijn ogen, maar hij bedoelde

het niet onvriendelijk. Hij nam zijn plek in op de slee. April, met Pinda veilig en wel in haar rugzak, klom op de rug van Beer.

En met Beer en April voorop, vertrok het gezelschap.

Het eerste uur gebeurde er weinig. Met Törs gps trok de ongewone karavaan onder een deinende hemel noordwaarts door een ongerept en smetteloos sneeuwlandschap. Na een paar uur namen ze pauze om iets te eten. Tör verzorgde de honden en April voerde Pinda. Maar ze merkte bezorgd dat hij niet erg hongerig leek en wat lusteloos overkwam. Misschien was hij zelfs wat lichter van gewicht? Hoe sneller ze bij Lises kamp aankwamen, hoe beter.

Ze haastten zich nog een paar uur verder onder een donkerder kleurende hemel en sloegen toen ergens een kamp op voor de nacht. Tör bekommerde zich weer om de honden en doorliep alle stappen om zo veilig mogelijk te zijn. En ze hadden uiteraard Beer nog die de wacht hield.

April ging bij het kleine kampvuur zitten met Pinda op haar schoot. Zo ver naar het noorden was de hemel zo levendig en stralend, het was net alsof ze in het hart van de kosmos kon kijken. Er waren zoveel sterren dat er duizenden universums door elkaar heen leken te lopen.

'De wereld is zo prachtig,' mompelde ze met een gevoel van ontzag. Het was hier zo stil dat je alles helemaal in je op kon nemen. 'Ik snap niet dat mensen er niet veel beter voor zorgen.'

Tör aaide voorzichtig over Pinda's zachte vacht. Er kroop een glimlachje over zijn lippen toen het welpje zijn kopje iets optilde en het zwakjes weer neerlegde.

April schudde haar hoofd. 'Soms denk ik... dat het beter zou zijn als ik er niet zoveel om zou geven.'

Tör trok vragend een wenkbrauw naar haar op.

'Jij hebt die beer in de ijsgrot niet gezien. Ze was omgekomen van de honger! En dat komt door óns. Door wat wij de planeet hebben aangedaan. Als ik 's nachts wakker lig, is dat soms het enige waar ik aan kan denken. En het gaat niet alleen om de ijsberen, maar om álle dieren op de hele wereld die eronder te lijden hebben.'

'Dat is niet jouw schuld!'

'Maar wat heb ik nou helemaal gedaan om enig verschil te maken?' vroeg April. 'Ik dacht dat het eenvoudig zou zijn. Ik dacht dat ik weer naar huis zou gaan en de mensen erover kon vertellen en dan zouden zij er vanzelf iets aan doen. Maar ze doen helemaal niks en nu zijn we op precies dezelfde plek en is het nog veel erger!'

'Het is niet eerlijk dat wij degenen zijn die hier iets mee moeten. Het is niet eerlijk dat de wereld verandert,' zei Tör nogal zakelijk. 'Maar dat wil niet zeggen dat we het niet proberen.'

'Maar hóé dan?'

'De mensen zijn net als een roedel husky's,' zei Tör, wijzend naar de slapende honden die een paar meter verderop lagen. Finnegan, hun leider, lag in het midden. 'Ze hebben leiders nodig. Mensen naar wie ze opkijken. Mensen die ze kunnen volgen. Jij bent zo iemand, April.'

'Dat klinkt zo makkelijk,' antwoordde ze. 'Maar waarom luistert er dan niemand?'

'Omdat je ze bang maakt,' zei Tör zachtjes om Pinda, die net in slaap was gesukkeld, niet wakker te maken. 'Ze worden bang van iemand die opstaat voor iets waar hij in gelooft. De meeste mensen komen er niet voor uit. Die vinden het gewoon makkelijker om neer te kijken op een ander die dat wel doet.'

April knikte. Ze wist dat dit waar was, maar dat maakte de zaak er niet eenvoudiger op.

'Weet je wat mijn dromen zijn, April?' vroeg hij. 'Ik droom ervan om bij het plaatselijke voetbalteam te kunnen, een baan te krijgen die goed betaalt en op een dag zover te zijn dat mijn vader me accepteert om wie ik écht ben.'

'Dat zijn geweldige dromen!'

'Maar jóúw dromen, April, zijn zo anders. Jij droomt ervan de wereld te redden. Dat maakt jou anders – dat maakt jou bijzonder.'

'Ik voel me helemaal niet bijzonder,' zei ze met een klein stemmetje.

'Je bent misschien niet de langste en je hebt niet de luidste stem, maar je leidt met je hart. En dat is de beste vorm van leiderschap. De énige manier om te leiden,' zei hij. 'Een echte leider heeft de moed om te roepen dat het anders moet, ook wanneer anderen het daar niet mee eens zijn.'

April slaakte een zucht van dankbaarheid. Tör was een echte vriend; hij wist precies hoe hij haar moest opvrolijken.

'Iedereen kan een leider zijn,' besloot hij, 'als ze dat maar willen.'

April voelde de trilling van zijn woorden, maar

ook de beweging van de sterren boven hen, alsof die hun steentje wilden bijdragen. Ze keek omhoog en zag de hemel langzaam maar zeker bewegen en schuiven en dansen. Niet alleen de sterren, maar ook slierten van een verbluffend smaragdgroen licht die door de hemel kronkelden.

Ze ademde diep in en besefte ineens iets heel diepzinnigs wat tegelijkertijd ook best simpel was.

Ze was niet alleen maar een kind.

Ze was gemaakt van de sterren, het licht en de adem van het universum.

En het universum schijnt fel in ieders hart.

HOOFDSTUK TWEEËNDERTIG

DE FJORD

Bij het aanbreken van de ochtend richtten de husky's hun neuzen op de geur van het noorden. Tijdens die reis werd het landschap alsmaar kaler en troostelozer. Zo dicht bij de Noordpool was een uitgestrekt niemandsland, en toch zag je in al dat niets de schoonheid van de planeet in haar zuiverste vorm.

De majestueuze vorm van de bergen die zich als een silhouet aftekende tegen de paarse luchten, de gouden gloed van de zon die langzaam aan de horizon verscheen zodat ze als boter op het ijs glinsterde. Het was voorbij de rand van de wereld, voorbij de grens van alles wat April ooit in haar hele leven had meegemaakt. Het was zo gigantisch en kolossaal dat het haar de adem benam en laagje voor laagje alles van haar afpelde waardoor ze ooit aan zichzelf had getwijfeld.

Urenlang zeiden Tör en April allebei geen woord.

Tegen het einde van de ochtend stopten ze om Pinda te eten te geven. Hij nam nu alleen nog maar heel kleine hapjes en leek nogal teruggetrokken. Herhaaldelijk sloeg hij zijn pootjes voor zijn ogen en probeerde hij zich zo klein mogelijk te maken.

'Er is echt iets mis,' zei April bezorgd. 'Kijk, hij likt het eten niet eens van mijn hand zoals gewoonlijk.'

Tör knikte. Hij was de hele ochtend al afgeleid. 'Wat is er?' vroeg ze hem. 'Komt het door Beer?'

De honden waren vastgebonden en Beer liep in de verte rond alsof hij de wacht hield. 'Ik weet niet of ik ooit aan Beer zal kunnen wennen. Maar nee, het heeft niets met hem te maken.' Hij aarzelde. 'Het is de fjord. Ik zei nog dat die rond deze tijd van het jaar wel bevroren zou moeten zijn, maar...'

'Maar wat?'

'Ik moet denken aan iets wat Hedda zei, weet je nog? Dat sommige fjorden die vroeger altijd een stevige laag ijs werden tegenwoordig nauwelijks nog dichtvriezen.'

Waarschijnlijk had Aprils gezichtsuitdrukking haar schrik verraden, want Tör glimlachte meteen geruststellend naar haar. 'We moeten maar bidden dat het wel zo is.'

Toen hij weer op de slee klom en zij weer op Beers rug ging zitten, kreeg ze dat nerveuze, gespannen gevoel niet meer weg.

Het duurde net iets meer dan een uur voor ze de rand van de grootse Wijdefjord bereikten. Een uur waarin April bad en hoopte dat het ijs stevig genoeg zou zijn om veilig te kunnen oversteken.

April en Beer kwamen als eerste aan. Ze liet zich van zijn rug glijden, liet een hand op zijn schouder rusten en ze keken samen naar de overkant. Het was het lichtste moment van de dag en de sneeuw en het ijs waren zo fel en helder dat ze een paar keer moest knipperen voordat haar ogen zich hadden aangepast. De horizon leek zich eindeloos uit te strekken en te verdwijnen in een melkwit landschap in de verte.

Het was een heel eind tot aan de overkant.

In de kille noordenwind zag ze Beers neus trillen.

'Wat ruik je, Beer? Ruik je het kamp, soms?'

Tör zette de slee naast haar stil en de honden blaften en keften druk, maar bleven, zoals altijd, op een veilige afstand van Beer. 'Wat is er?' vroeg hij.

'Ik denk dat hij ruikt dat we er bijna zijn,' antwoordde April. Ze deed haar rugzak af en keek nog even hoe het met de kleine Pinda ging. Hij piepte niet eens toen ze de tas openritste, wat hij normaal gesproken altijd deed.

Tör keek uit over de fjord en fronste zijn wenkbrauwen. 'Het ijs…' Zijn stem stierf weg. 'Het ijs ziet er niet goed uit. Er klopt iets niet. Zo rond deze tijd van het jaar hoort het zo dik te zijn dat je er met een tractor overheen kunt rijden. Maar zie je die breuklijn daar?'

April keek naar de plek die hij aanwees. Als je het haar vroeg, zag het er overal hetzelfde uit. Maar toen viel het haar op dat de kleur van het ijs op die plek anders was. Het had een blauwachtig waas.

'Dat is waar Hedda het over had,' zei April toen

Tör de rand van het ijs testte met het stompe einde van een hakbijl. 'Denk je dat het veilig is voor de oversteek?'

'Ik denk het... Als we heel voorzichtig zijn. Maar het is wel een risico. We... We kunnen er ook omheen gaan.'

April schudde haar hoofd. Als ze er helemaal omheen zouden reizen, kostte dat nog dagen extra. Zoveel tijd had Pinda waarschijnlijk niet meer. Ze was geen dokter of dierenarts, maar wel slim genoeg om te begrijpen dat ze niet heel veel tijd meer hadden.

'Goed. Beer, we hebben je hulp nodig.'

Ze dacht aan de vorige keer dat ze hem een plan had voorgelegd – om de boot te nemen en naar Spitsbergen te varen. Hij had gebruld van woede tot zij hem had gedwongen van gedachten te veranderen. Toen was ze bang geweest. Maar ook weer niet echt. Hoe kon ze nou echt bang zijn zonder enig besef van de omvang van alle gevaren die haar te wachten stonden?

Deze keer was ze zich daarvan maar al te bewust. Ze wist wat er onder dat ijs schuilging. Ze wist hoe donker en koud en bodemloos dat water was. En als ze ook maar iets van die angst aan

Beer zou laten merken, zou hij absoluut niet de fjord oversteken met haar op zijn rug.

'We moeten jou vertrouwen,' zei ze zo kalm als ze maar kon, en ze keek Beer diep in de ogen. Tör sloeg het gesprek gade. 'Jij leidt de weg en Tör komt achter je aan.'

Alle ijsberen hadden enorm grote poten. Door hun gewicht gelijkmatig te verdelen konden ze zich op het ijs begeven. Op die manier kon Beer zijn gewicht dus veel beter verdelen om te voorkomen dat hij door het ijs zakte. En hopelijk kon hij zo ook de beste route kiezen.

April klom op Beers rug, controleerde nog een laatste keer of Pinda wel veilig en fijn in de rugzak zat en hoopte er het beste van. De eerste stap ging heel behoedzaam en de wind floot langs haar tanden toen het ijs onder hun gewicht kraakte en kreunde. Maar de ijslaag hield hen wel. De volgende stap was niet minder voorzichtig. En toen volgde de derde stap.

Achter haar hoorde ze de ijzers van de slee en de hijgende ademhaling van de honden. Opeens klonk er een onheilspellend gekraak en een kreet.

'De slee is te zwaar!' riep Tör.

April liet Beer langzaam tot stilstand komen.

Ze keek over haar schouder en zag hoe grauw Törs normaal zo kalme gelaat opeens was geworden.

'En als we wat spullen van de slee afhalen?' riep ze terug. 'Dan wordt hij vanzelf lichter.'

Ze haalden wat spullen van de slee en probeerden het nog een keer. Maar terwijl Beer voorzichtig zijn poten neerzette en verder kon lopen, ging het Tör en de honden niet zo gemakkelijk af. De slee was met alle voorraden, honden en Tör gewoon te zwaar.

'Wees voorzichtig!' Ze stak haar hand op om Tör te waarschuwen.

De husky's zetten nog een paar stapjes extra en bleven toen staan. Tör deed zijn best om de honden aan te sporen, maar April zag zijn handen trillen.

Ze waren dicht genoeg bij elkaar dat ze hem zou kunnen aanraken, maar toch voelde hij mijlenver van haar verwijderd.

'Voor jou is het niet veilig,' zei ze hoofdschuddend.

'Ik kan een andere plek proberen,' riep Tör uit, en hij keek wanhopig uit over het ijs.

'Nee.' April slikte haar angst in. 'Ik denk… Ik denk dat je moet omkeren. Het is te gevaarlijk.'

Ze glimlachte naar haar vriend. Het was geen

gemiddelde glimlach, maar eentje die hem ervan moest verzekeren dat zij zich wel zou redden. Een glimlach die hem toestemming gaf om terug te gaan.

Met die glimlach op zich gericht kon Tör weinig anders meer doen dan knikken. Met tegenzin zei hij: 'Ik ga er wel omheen dan.'

'Ja,' zei April en ze probeerde zo dapper mogelijk te kijken. 'Dan zie ik je daar wel.'

April had nog een miljoen andere dingen tegen hem willen zeggen. Maar terwijl ze toekeek hoe Tör de slee omkeerde en de veilige oever bereikte, kreeg ze geen van die dingen over haar lippen.

'April Wood!' riep Tör over zijn schouder. 'Wees voorzichtig!'

Hij draaide zich om voor een laatste zwaai en was nu niet meer dan een kleine gedaante voor hij in de verte verdween.

'Nu zijn alleen jij en ik nog over,' mompelde ze tegen Beer, en ze rechtte haar schouders om zichzelf wat moed in te praten. 'En de kleine Pinda.'

Ze keek voor zich uit naar de brede en schijnbaar oneindige fjord. Maar dit was niet het juiste moment voor paniek. Pinda had nu al heel lang geen kik meer gegeven. Niet eens een piepje van de honger.

'Doe gewoon heel rustig aan, Beer,' fluisterde ze toen ze weer op zijn rug klom. 'Heel rustig aan. Stap voor stap.'

Haar hart bonsde in haar keel en ze hield zich stevig vast aan Beers vacht terwijl hij zijn poten voorzichtig op het ijs zette. Na een poosje gokte April dat ze toch al zeker halverwege moesten zijn, want de ijslaag was hier het dunst. Het ijs zag er heel doorzichtig uit en de geur die er hing was ook anders. Wateriger en zwakker. Onder Beers gewicht begon het ijs te barsten en te kraken. Hier was het slechts een uiterst breekbare laag die hen van het donkere ijswater scheidde. Beer wilde net weer een behoedzame stap zetten toen ze het wanhopige geblaf van een stel honden achter zich hoorde.

Tör?

Waarom was hij teruggekomen? Had hij dan toch een veilige manier gevonden om de fjord over te steken?

Ze keek hoopvol achterom.

Toen ze besefte dat het niet Tör was, voelde dat als een dreun tegen haar borst.

Want wie ze daar wel zag... was Hedda.

HOOFDSTUK DRIEËNDERTIG

OP GLAD IJS

Heel eventjes kon April niets anders dan staren. Papa had Hedda vast verteld waar ze naartoe gingen. Maar hoe had ze zo snel hier kunnen komen?

Onder haar voelde ze Beer reageren. Alsof hij aanvoelde dat er meer gevaar was dan een dunne laag ijs.

'Ze zal je geen kwaad doen,' zei April. 'Niet zolang ik op je rug zit.'

Maar toen ze nog een keer omkeek, zag ze iets wat haar daarnet nog niet was opgevallen. Een seinpistool. En April had het nog niet gezien of Hedda liet de slee met één hand los en vuurde het pistool af.

De knal was luider dan een donderslag. Beer sprong van schrik naar voren en hij had April bijna van zich afgeworpen, waardoor ze met haar hoofd op het ijs zou vallen. 'Hé! Rustig maar, het is oké!'

Ze greep zich vast aan zijn vacht en hoopte maar dat Pinda veilig was. Toen keek ze achterom. De slee had al een aardige afstand afgelegd en was nu zo dichtbij dat April de vastberaden blik op Hedda's gezicht kon zien, en de manier waarop haar gevoerde jas achter haar aan wapperde, plus het onmiskenbare silhouet van een geweer dat boven haar schouder uitstak. Hedda was ervan overtuigd dat beren niets meer en niets minder waren dan een gevaar voor de mens. Het seinpistool was bedoeld om hen bang te maken. Om ervoor te zorgen dat de beer zou vluchten. Als dat niet werkte, zou ze het geweer gebruiken.

Met een afschuwelijk, misselijkmakend besef herinnerde April zich wat Hedda gezegd had over schieten op het hart – met dodelijke bedoelingen. 'Nee!' schreeuwde ze.

Ze liet zich van Beers rug glijden en deed haar best om het krakende ijs onder haar voeten te negeren. Ze pakte Beers kop, zijn snuit, een pluk vacht, wat dan ook, met beide handen vast. 'Je moet gaan!'

Maar Beer was een dier. En dieren doen niet altijd wat hun gevraagd wordt. In plaats van weggaan, duwde hij zijn snuit tegen Aprils schouder. Hoe kon hij weggaan? Hoe kon hij haar ooit achterlaten?

'Ik weet dat je me wilt beschermen,' zei ze, en ze deed snel haar rugzak af en zette die naast haar neer op het ijs zodat ze Beer een stevige knuffel kon geven. 'Ik weet dat je van me houdt, maar je moet nu echt gaan. Alsjeblíéft, Beer!'

Beer bleef daar maar staan. Zijn snorharen trilden en April voelde zijn angst. Beer was voor weinig dingen bang, maar wel voor mensen met geweren. Achter haar hoorde ze de ijzers van de slee dichterbij glijden en de honden steeds feller hijgen. Ze durfde niet eens meer om te kijken.

'Ik beloof je dat ik voor Pinda zal zorgen,' zei April met overslaande stem. 'Ik zal hem naar Lise brengen en ervoor zorgen dat hij een nieuwe moeder vindt. Ik zal doen wat je wilde dat ik zou doen.

Maar jij moet gaan. Voor je eigen veiligheid.'

April liet haar hand van Beers vacht afglijden. Ze wreef over haar gezicht. En deed iets wat ze nooit had gedacht te zullen doen. Ze gaf Beer een tik op zijn achterste en verhief haar stem tegen het enige dier in de hele wereld waarvan ze meer hield dan van zichzelf.

'GA DAN!'

Beer was nog steeds in de war. April gaf hem nog een tik. Nu hield hij zijn kop schuin en bewoog een van zijn oren.

'Ga alsjeblieft,' zei ze snikkend. 'Ga er nou gewoon vandoor.'

Beer keek haar nog een keer niet-begrijpend aan en deinsde langzaam achteruit. Nu stond April in haar eentje op het ijs.

Ze bleef kijken en kijken en kijken toen Beer wegliep. Eerst langzaam. Toen wat sneller. Tot hij in een draf over het ijs van de fjord holde en bij elke stap grotere barsten in haar hart maakte. Maar nu was hij in elk geval veilig.

'Vaarwel, Beer,' fluisterde April. 'Vaarwel, mijn lieve vriend.'

De slee was nu zo dichtbij dat ze de muskusachtige geur van de honden kon ruiken. Even later ook de rook van het seinpistool. En Hedda's zweetlucht.

Voorzichtig draaide April zich om. En terwijl ze dat deed, maakte het ijs een wel heel griezelig geluid. Het leek een beetje als nagels op een ouderwets schoolbord. Dreigend. Buitenaards. Hedda liet de honden een paar meter van haar vandaan stoppen.

'VERROER JE NIET!' riep Hedda met een uitdrukking van paniek.

'Hedda?' vroeg April.

Nu klonk er een heel hard gekrijs, geschraap en een enkele blaf van paniek.

Gevolgd door het onmiskenbare geluid van barstend en brekend ijs dat onder Aprils voeten wegzakte.

De breuk was zo plotseling dat ze niet eens de kans had om een van de randen van het ijs vast te grijpen. Het ene moment stond ze op het ijs, het volgende was ze erdoorheen gezakt en verdween ze in het water.

De schrik was zo heftig dat die haar de adem benam.

Ze kwam weer boven water. Ze probeerde iets vast te grijpen, maar het was zinloos. De randen waren te dun om zich aan vast te klampen. En toch stak ze haar armen uit. Ze maaide in het rond. Wapperde met haar handen. Strekte haar vingers.

Zelfs in die blinde paniek wist April dat ze hooguit enkele minuten had, als ze dat al haalde, voordat de ijzige temperatuur haar dood zou betekenen. Dan zou ze onder het wateroppervlak wegzakken en voorgoed in de donkere diepten verdwijnen.

De gevoelloosheid drong door tot in al haar lichaamsdelen, maar ze was helder genoeg om blij te zijn dat Pinda in elk geval veilig op het ijs was achtergebleven. De rugzak was gelukkig niet samen met haar in het water terechtgekomen.

Nu zou in elk geval een van hen het overleven.

Ze probeerde nog een keer om het ijs vast te grijpen. Haar handen bewogen nu een stuk trager en slomer.

'Blijf kalm!' Hedda's gezicht verscheen vlak boven haar. 'Pak het touw vast!'

April kon het touw zien.

Ze strekte haar arm uit. Maar haar vingers waren zo bevroren dat ze zich niet lang kon vasthouden. Ze greep het touw en Hedda gaf er een flinke ruk aan.

Het had geen zin. April viel terug in het water. Hedda slingerde het touw nog een keer naar haar toe.

'Probeer je vast te houden!'

Ergens boven haar... Ergens schreeuwde iemand haar naam.

Maar het was koud.

Het was zo ontzettend koud.

April sloot haar ogen.

Het water wikkelde zich als een ijzige vorst om haar heen.

En toen...

...werd alles...

...zwart.

HOOFDSTUK VIERENDERTIG

DE REDDING

…maar in dat pikzwarte donker was er ook iets anders.

Iets wat met wanhopige slagen op haar af zwom. Iets wat haar opvallend bekend voorkwam. Een dier dat April nooit zomaar zou achterlaten om te sterven. Zelfs in haar halfbewustzijn voelde ze de grote kaken voorzichtig om haar heen klemmen en merkte ze dat ze naar het wateroppervlak werd getild.

Het water stroomde van haar af toen ze op een veilig stuk ijs werd neergelegd. Terwijl ze bibberend bleef liggen, likte hij haar gezicht. Eén keer, twee keer en voor de zekerheid nog een derde keer.

'B-B-Beer!' fluisterde ze.

En toen verloor ze haar bewustzijn alsnog.

'April?' De stem klonk ver weg. 'April?'

Langzaam opende ze haar ogen. Ze lag op een berg pelsen en vachten op de slee, met nieuwe, warme kleren aan, een warmtedeken om haar heen en zo te merken een heel team van husky's boven op haar.

April hoestte en proestte. Er stak een beetje hondenvacht in haar neus en dat kriebelde.

'O, gelukkig. Je bent wakker,' zei Hedda, die over haar heen boog en een beker dampend hete chocolademelk tegen haar lippen drukte. 'Drink dit.'

'W-Waar b-ben ik?' vroeg April. Haar hoofd was nog een waas vol ijs en mist en kou. Ze nam een slokje en voelde haar binnenste exploderen met warmte.

'Aan de noordkant van de fjord,' antwoordde Hedda. 'Ik wilde geen risico nemen door langer op het ijs te blijven.'

April knikte en wilde haar hoofd net weer op de zachte vacht leggen. Opeens hapte ze naar lucht. 'Beer!'

Er gleed een vreemde blik over Hedda's gezicht, een die April niet beviel. 'Nee!' fluisterde ze. 'Nee, zeg me alsjeblieft dat je dat niet hebt gedaan!'

Hedda schudde haar hoofd. Ze wees naar een plek verderop waar Beer met opgeheven hoofd stond te wachten.

April slaakte een zuchtje van opluchting. En begon toen te huilen. Niet alleen omdat ze zo blij was hem weer te zien, maar om alles wat er was gebeurd. Haar lijf bibberde nog steeds van de ijzige kou. Haar hoofd deed zijn best om bij te benen wat ze had meegemaakt. Ze was in het koude water gevallen. Ze was bijna dood geweest.

Hedda kneep haar ogen bedachtzaam tot spleetjes. 'Het was onvoorstelbaar dom wat je deed. Maar hij heeft je leven gered.'

'Natuurlijk heeft hij dat!' zei April. Ze probeerde rechtop te gaan zitten, wat nog knap lastig bleek met zo'n hele berg honden boven op haar. 'Precies zoals jouw honden jou zouden redden als jij in de problemen zat.'

Hedda spoorde April aan om vooral te blijven

liggen. 'Spaar je energie,' zei ze. Ze leek meer te willen zeggen, maar bedacht zich. In plaats daarvan aaide ze liefdevol over de kop van haar leidershond, Ripley.

'Toen je vermist was, vertelde je vader me over jou en de... de beer, en dat jullie deze reis eigenlijk vanwege hem hadden gemaakt,' zei ze. 'Ik geloofde het niet. Zelfs niet toen ik het briefje zag dat je had achtergelaten. Ik dacht je hersens door de kou waren bevangen. Dat is niet ongewoon hier op de Noordpool, wist je dat? Het leek gewoon... te belachelijk om waar te zijn. Een dier als dat kan niet zomaar bevriend raken met een kind.'

'En toch is het zo,' zei April boos. Ze voelde de warmte en het leven langzaam door haar heen kruipen. 'Hij is te bang om dichterbij te komen. Maar hij zal ons geen kwaad doen.'

'Dat begrijp ik nu.'

April wilde het uitbrullen. Om Beer te laten weten dat ze veilig was. Maar ze was te zwak. In plaats daarvan nieste ze. Er zat nog steeds hondenhaar in haar neus. En de nies was best hard. Hard genoeg om de laatste sliertjes mist uit haar hoofd te blazen.

'PINDA!' riep ze opeens uit en ze hapte naar

lucht. 'WAAR IS PINDA?'

'Pinda?' Hedda keek haar nu echt aan alsof ze waanbeelden zag.

'MIJN RUGZAK!' gilde April. 'WAAR IS MIJN RUGZAK?!'

Zou Hedda hem op het ijs hebben achtergelaten? Nee, toch?! Dat zou niet eerlijk zijn. Niet nu ze zo dichtbij waren. Ze graaide om zich heen in een poging hem te vinden.

'Bedoel je deze tas?' vroeg Hedda, die hem achter haar vandaan pakte. 'Hij is vrij zwaar. Wat zit erin?'

'Dat zal ik je laten zien,' zei April die de tas van haar overnam en vurig hoopte dat Pinda in orde was. Ze ritste de rugzak open en haalde het welpje er voorzichtig uit. Hij was slap en ademde nog maar heel zachtjes, maar hij leefde nog. Het was een wonder.

'Dit is Pinda,' zei April.

Hedda sloot haar ogen en bleef heel lang zo zitten. Had April nu te veel van haar gevraagd? Eindelijk deed Hedda haar ogen weer open. Ogen met de kleur van wolven en onweerswolken.

'Hallo, kleintje. Volgens mij heb jij hulp nodig.'

HOOFDSTUK VIJFENDERTIG

LISE

Hedda vond wat extra gesuikerd voer dat ze altijd bij zich had op de slee voor het geval een van haar husky's gewond raakte. 'Dat geeft ze net dat beetje extra energie,' legde ze uit.

April keek toe hoe ze Pinda liefdevol voedde met een injectiespuit en haar hele gezicht stond een stuk vriendelijker nu met de baby-ijsbeer erbij. Pinda mauwde zacht. Dat was een goed teken. Hij maakte in elk geval weer geluid. Hij leefde nog.

Hopelijk zou dit voer hem genoeg kracht geven voor het laatste deel van de reis. In de verte keek Beer goedkeurend toe. Althans, dat hoopte ze. Hopelijk begreep Beer dat Hedda niet langer een bedreiging vormde.

'Dus je hebt geen hekel aan ijsberen?'

Hedda liet een blaffende lach horen en Pinda maakte zich klein in haar armen. 'Lijkt dit erop?'

April keek haar vragend aan. 'En die arme ijsbeer bij de hut dan?'

'De enige reden dat ik hem bijna neerschoot was omdat hij jou anders een paar tellen later zou hebben gedood,' zei Hedda botweg. 'De beren hebben vele vijanden, maar ik ben er niet een van.'

Ze was net als Spitsbergen, besloot April. Onder haar ruige, ruwe buitenkant zat toch een warme persoonlijkheid.

'Maar... hoe zit het dan met al die dingen die je zei, dat beren en mensen uit elkaars buurt moeten blijven?'

'Je hebt met eigen ogen gezien in welke mate Spitsbergen verandert,' zei Hedda met een zucht. 'Zelfs dit ijs. Tien jaar geleden zou het nooit zo dun zijn gebleven. Hoe minder ijs er is, hoe hongeriger de beren zijn. En hoe meer honger ze hebben, des te onvoorspelbaarder is hun gedrag.'

'Daarom moeten we dus doen wat we kunnen om ze te beschermen!'

'Ik ben bang dat het daarvoor te laat is,' zei Hedda zacht. 'Hoe meer ze de bewoonde wereld van de mensen opzoeken, hoe groter het risico is. Niet alleen voor de mensen, maar ook voor de beren zelf. Niet iedereen is zo vriendelijk als jij, April.'

'Niet iedereen hóéft vriendelijk te zijn. Als het maar genoeg mensen zijn,' zei April. 'Want als dat genoeg mensen zijn, dan kunnen degenen die het voor het zeggen hebben niet anders dan naar ze luisteren. We willen niet hún toekomst! We willen ónze toekomst! Een wereld waarin dieren en mensen veilig naast elkaar kunnen bestaan.'

'Ah, de dromen van de jeugd,' zei Hedda. 'Ik was vergeten hoe glansrijk die zijn. Maar je hebt dromen en je hebt onmogelijke dromen. Waar zou je beginnen?'

April hief haar kin op. 'We beginnen met dit welpje redden.'

Nadat April haar plan had uitgelegd, drong Hedda erop aan dat April zou rusten terwijl zij alle voorbereidingen trof. Ze stond er ook op dat April de rest van de tocht voor alle veiligheid per slee zou reizen. Hedda wist waar het kamp was en leek overtuigd dat ze het binnen enkele uren konden bereiken. De enige onzekerheid was of Pinda het zo lang zou volhouden. Hij was na het eten wel iets opgeknapt, maar maakte nog steeds een zwakke, lusteloze indruk. Om hem warm te houden, hadden ze hem in een speciale isolerende koffer gelegd die Hedda normaal gesproken gebruikte om voedsel warm te houden. Ze boorde wat gaten in de bovenkant zodat hij kon ademen en wikkelde de koffer toen in een deken voor ze hem op de bodem van de slee zette.

'We moeten opschieten,' zei Hedda zodra ze alle honden had aangelijnd.

April schudde haar hoofd. 'Ik moet eerst even met Beer praten.'

Hedda deed haar mond open om te protesteren, maar knikte toen alleen maar.

Beer, die op een afstandje van hen was blijven wachten, spitste zijn oren toen April voorzichtig naar hem toe kwam. Haar benen voelden nog heel slap, dus het kostte enorm veel inspanning.

'Beer?' zei ze zacht. 'Je weet toch wel dat ik niet meende wat ik op het ijs zei? Ik wilde… Ik wilde je alleen maar beschermen.'

Beer boog zijn kop. Ze hoopte dat hij haar begreep. Maar voor het geval dat niet zo was, legde ze haar hand voorzichtig op zijn nek. 'Ik heb nog geen dank je wel kunnen zeggen. Je hebt me gered. Je hebt alweer mijn leven gered. En nu zal ik mijn uiterste best doen om dat van Pinda te redden.'

Achter haar hoorde ze de honden al enthousiast blaffen. Ze waren ongeduldig en wilden gaan.

'Ik rij nu met Hedda mee, maar jij… Als je wilt kun je ons volgen? En als we dan bij het kamp aankomen kun jij op een veilige afstand blijven in plaats van meegaan. Maar ik begrijp het ook wel als je niet meer verder mee wilt.' Ze slikte moeizaam. 'Jij mag kiezen.'

Beer staarde haar onbewogen aan. Toen zakte hij door zijn achterpoten en liet hij een laag, verontwaardigd gebrom horen. April grinnikte en sloeg haar armen om zijn nek.

'April!' riep Hedda. 'Het is tijd om te gaan!'

April gaf Beer snel nog een kus op zijn neus voor ze terugliep naar de slee en een warme pels om zich heen trok.

'MARS!' riep Hedda uit. En daar gingen ze.

Het duurde niet lang voordat April helemaal in de verte een paar kleine stippen ontdekte. Het duurde een poos voordat die stippen meer op canvastenten begonnen te lijken. Naarmate ze dichterbij kwamen, zag April dat het zes grote, stevige, witte tenten waren die er nogal industrieel uitzagen. Sommige waren zelfs zo groot als een kleine hut, met een vierkant dak en dichtgeritste deuren. Verspreid over het terrein stonden verschillende professionele instrumenten om het weer te meten; het deed April even aan Bereneiland denken.

De slee zoefde voort en April strekte haar nek om achterom te kijken.

Zoals ze al vermoedde, was Beer op een veilige afstand blijven staan. 'Het is oké, Beer!' riep ze naar hem. 'Ik zie je snel weer!'

Hij zou ongetwijfeld zijn eigen ijsberending gaan doen, maar April wist zeker dat hij pas echt zou vertrekken als hij wist dat Pinda in orde was. Ze zwaaide naar hem ter afscheid en de slee legde de laatste paar honderd meter af naar het kamp. Vlak buiten een van de grote tenten remden ze af.

De sneeuwgrond onder hun voeten was stevig aangestampt en er hing een lichte geur alsof iemand had gekookt. Maar ook al hadden de husky's hun komst aangekondigd met een druk geblaf en gekef, er kwam niemand naar buiten om hen te begroeten.

'Misschien zijn ze alweer weg?' vroeg April en ze beet ongerust op haar lip.

Net op dat moment werd een van de tenten met een luid ritsend geluid geopend. Er kwam een jonge vrouw met paars haar en regenbooglaarzen naar buiten.

'April?!' Lise deed een verbijsterde stap naar voren. 'Wat doe jij nou hier?'

Tot op dit moment had April niet echt gedacht dat ze het zou halen. En nu ze hier was, wist ze niet goed wat ze moest zeggen.

'Dat is een lang verhaal,' zei Hedda die naar voren kwam. 'Ik ben Hedda.'

'Aangenaam kennis te maken.' Lise schudde haar de hand en draaide zich weer om naar April om haar vol ongeloof aan te staren.

April zocht nog steeds naar woorden. Het was onmogelijk om alles wat ze had meegemaakt in een paar zinnen samen te vatten. Ze stapte van de slee, tilde de koffer op en bracht die naar Lise.

Lises ogen werden groot en als April zich niet vergiste, leek Hedda die reactie heel grappig te vinden.

'We wisten niet waar we hem anders naartoe moesten brengen,' zei April nu. 'Zijn moeder is dood en… En Beer heeft me hiernaartoe gehaald om hem te redden.'

Lise keek om zich heen. 'Is Beer hier ook?'

'Niet in het kamp,' zei April. 'Het leek ons niet heel veilig als hij te dichtbij kwam. Maar dat is de reden dat ik naar Spitsbergen kwam. Omdat Beer me heeft geroepen. Hij riep me omdat hij wilde dat ik zijn jonkie zou redden.'

De meeste mensen zouden het enorm vergezocht vinden om te horen dat een ijsbeer een mens had geroepen – iemand die bijna aan de andere kant van de wereld woonde. Maar Lise knikte alleen maar.

'Bij jou kijk ik nergens meer van op, April,' zei ze met een vriendelijke glimlach, en ze richtte haar aandacht nu op de koffer. Ze keek erin en fronste haar wenkbrauwen.

'Ik… Ik kon hem niet zomaar achterlaten.'

'Je hebt juist gehandeld. Misschien niet helemaal op de correcte manier, maar elke beer is kostbaar, vooral de jonkies.'

Lise bracht de koffer naar een van de grotere tenten en April en Hedda liepen achter haar aan. De tent was ingericht als een soort scheikundelaboratorium met diverse meetinstrumenten. Lise tilde de kleine Pinda behoedzaam uit de koffer en legde hem op een tafel neer. Ze tastte zijn buik af, inspecteerde zijn bek en woog hem uiteindelijk. 'Hij is extreem ondervoed en heel licht voor zijn leeftijd. Je zei dat je hem hebt gevonden?'

April praatte Lise bij over alles wat er gebeurd was. Toen ze aankwam bij het lot van de moederbeer begaf haar stem het.

'Ik weet niet waarom ze haar kraamhol heeft verlaten, maar waarschijnlijk is ze gestoord door menselijke activiteiten, of ze zag zich genood- zaakt eerder naar buiten te komen van de honger.' Lise tilde Pinda voorzichtig op. 'Er is domweg niet zoveel voedsel als vroeger. Daarom doen we dit onderzoek ook. Om te kijken in welke mate het aantal jongen verandert en wat we kunnen doen om de geboortedaling tegen te gaan. Het mag een wonder heten dat dit kleintje het heeft gehaald.'

'Dat was geen wonder,' zei Hedda met een hand op Aprils schouder. 'Maar pure vastberadenheid.'

'Blijft hij wel leven?' vroeg April terwijl ze Pinda in zijn oogjes keek.

'We zullen er alles aan doen,' zei Lise, en ze fronste bedachtzaam haar voorhoofd. 'Er is wel een vrouwtje hier. Ze heeft twee welpjes gekre- gen, maar daarvan is ze er ongeveer een week ge- leden een van verloren. Normaal gesproken wan- neer dat gebeurt, komt het doordat ze niet sterk genoeg is, maar in dit geval lag dat anders. We zouden kunnen kijken of zij hem accepteert.'

Hedda knikte. 'Zo heb ik dat al vele malen ge- daan met pups die door hun moeder werden ver- stoten. Het kan heel goed werken.'

'Het blijft een risico,' zei Lise. 'Misschien wei- gert ze hem en doet ze hem iets aan. Maar gezien de omstandigheden is dit de beste en meest natuurlijke optie.'

'Een nieuwe moeder,' zei April verrukt. Ze kon bijna niet geloven dat haar plan echt zou slagen. 'Hoorde je dat, kleine Pinda?'

Pinda slaakte een klein kreetje.

HOOFDSTUK ZESENDERTIG

ONVERWACHT BEZOEK

H et plan was om Pinda zo snel mogelijk aan zijn nieuwe moeder voor te stellen, maar het was belangrijk dat hij eerst aansterkte. Ondertussen mochten April en Hedda in een van de tenten blijven, die ze met een van de andere wetenschappers in het kamp zouden delen. Er waren in totaal vier tenten bedoeld voor huisvesting, waar acht onderzoekers in waren ondergebracht. Dan had je nog de grotere laboratoriumtent en een gedeelde gemeenschappelijke ruimte waar iedereen gezamenlijk at.

In de tent was maar weinig ruimte, dus terwijl Hedda wat spullen van de slee haalde die ze echt nodig hadden, had April een andere belangrijke taak: ze moest haar vader bellen. Ze koos zijn nummer op de satelliettelefoon van het kamp.

'Ook raar. Hij neemt niet op.'

Ze probeerde later op de dag nog een paar keer te bellen en deed zelfs een poging om Jurgen in het hotel te pakken te krijgen. Maar ook dat leverde niets op. Het was niet veilig om het kamp te verlaten, maar ze wist dat Beer haar wel zou horen als ze hem fluisterend op de hoogte bracht van het nieuwe plan. Ze wenste hem een goede nacht en trok zich terug in de tent. En toch knaagde er iets aan haar, een onbehaaglijk gevoel. Waarom nam papa die telefoon niet op? Wat als hem iets was overkomen?

Ze was nog maar net in een onrustige slaap weggezakt toen een herrie van luid en druk geblaf haar weer wekte. In het schemerdonker was Hedda al opgestaan en aangekleed. April schoot ook zo snel mogelijk in haar kleren en kwam strompelend en knipperend de tent uit, waar een hemel met duizenden fonkelende sterren haar begroette.

Haar aandacht werd afgeleid door een nieuwe ronde geblaf, gevolgd door de aankomst van een opvallend sleevormig iets in het kamp. Nu kwamen de onderzoekers alle uren van de dag aan of vertrokken ze weer, dus staken maar een paar nieuwsgierige wetenschappers hun hoofd uit hun tent om te zien wie er zo laat nog arriveerde.

Aprils hart sloeg een slag over.

'Het is Tör,' zei ze opgewonden tegen Hedda. 'Het is hem gelukt!'

Pas toen de slee tot stilstand kwam, merkte ze dat Tör niet alleen was. Er stond nog iemand achter hem op de slee. Iemand die haar wel heel bekend voorkwam, en die net zijn sneeuwbril afdeed en bezorgd om zich heen tuurde.

'Pápa?'

April slaakte een woeste kreet van herkenning en stortte zich al in zijn armen voor hij goed en wel de kans had om van de slee af te stappen. Hij rook naar anijssnoepjes, naar iets warms en bekends. Maar het meeste rook hij gewoon naar papa.

'Je bent hier!' zei ze half snikkend tegen zijn borst aan.

'Ja, natuurlijk ben ik hier,' mompelde hij. 'En ik ben niet alleen.'

Er was een tweede slee gearriveerd met nog twee mensen erop. Ze stonden nu bij Tör en Hedda. April keek eens goed. En wreef in haar ogen. En keek nog een keer.

Ze zag Jurgen met zijn jachtpet op zijn hoofd, de flappen nu over zijn oren heen getrokken, en een zakhorloge dat aan de buitenkant van zijn sneeuwpak was bevestigd. Toch zag hij er een stuk levendiger en vrolijker uit dan ooit.

Naast hem, met een rood-wit gestippelde sjaal, stond Maria. Ze leek het ijskoud te hebben, maar de magie van de Noordpool straalde van haar gezicht.

April maakte zich los uit haar vaders omhelzing, stapte op Maria af en knuffelde haar toen ook.

De paar uur daarna zaten ze met z'n drietjes in de gemeenschappelijke tent om bij te praten. Toen papa na de storm weer in Longyearbyen was aangekomen en besefte dat April dus niet, zoals verwacht, was teruggekeerd, had Maria erop gestaan om naar Spitsbergen te komen.

'Ik... Ik zou niet hebben geweten hoe ik me zonder haar had gered,' zei papa, die nu Maria's en Aprils hand vasthield. 'Niet toen je opnieuw vermist was.'

'Het spijt me, pap,' zei April, en ze gaf een kneepje in zijn vingers. Zijn bezorgdheid om haar was van zijn gezicht af te lezen, en ze zou die rimpels en lijnen maar wat graag weer willen gladstrijken.

Maria leunde naar voren, zette zijn bril recht op zijn neus en veegde een pluk haar achter zijn oor. Ze glimlachten even naar elkaar. Maar niet zo dat April zich buitengesloten voelde. Het was een glimlach die haar juist een tevreden gevoel gaf. Want als de Noordpool haar iets had geleerd, dan was het wel hoe sterk liefde kon zijn.

Hoe oneindig.

En hoe liefde kon uitgroeien tot iets nog veel groters. Groot genoeg om de wereld te veranderen.

Groot genoeg om een persoon te veranderen.

'Ik heb Maria over Beer verteld,' zei papa, en hij schraapte zijn keel. 'En dat we naar Spitsbergen waren gegaan om hem te zoeken.'

'Ik vermoedde al dat er meer achter dat hele verhaal stak,' zei Maria, en ze richtte haar blik op April. 'Maar dat gevoel had ik bij jou al die tijd al.'

Nu was het Aprils beurt om te vertellen wat er sinds die sneeuwstorm was gebeurd. Het was nogal een lang verhaal, dus maakte papa er warme chocolademelk bij, geserveerd met een noodvoorraad marshmallows. Tör, Hedda en Jurgen kwamen erbij zitten.

April vertelde over haar avontuur en kwam onvermijdelijk bij het moment dat ze de fjord wilden oversteken en ze bijna was verdronken. Met een geheimzinnige blik naar Hedda sloeg ze die details over. Er was tenslotte een grens aan wat papa allemaal in één keer kon verwerken.

'Je hebt een sneeuwstorm overleefd, de nacht doorgebracht in een verlaten mijnwerkersdorp en het is je ook nog gelukt om Pinda hier heelhuids naartoe te brengen!' riep Maria met fonkelende ogen uit. Papa keek met een mengeling van afschuw en trots naar haar.

'Een ware poolziel,' zei Hedda met een klopje op Aprils schouder. 'Ik ken absoluut niemand anders, kind of volwassene, die zoiets voor elkaar zou hebben gekregen.'

'Ik heb gewoon gedaan wat ik moest doen,' antwoordde April blozend. 'Pinda had me nodig. De Noordpool had me nodig.'

Ze zweeg even. Nu ze weer met iedereen was herenigd was ze zo vervuld geweest van opluchting en opwinding dat ze niet had nagedacht over wat er nu zou gaan gebeuren. Een ongemakkelijk gevoel bekroop haar. Nu haar familie hiernaartoe was gekomen, luidde dat ook weer het begin van een einde in. Het moment waarop ze naar huis moesten gaan naderde, en dan moest ze weer afscheid nemen van Beer en dit allemaal weer achter zich laten.

'En we zijn nog niet klaar,' zei ze uitdagend, en vol energie keek ze iedereen aan. 'Het lastigste moet nog komen. We moeten Pinda aan zijn nieuwe moeder voorstellen en… hopen dat ze hem accepteert.'

'En hij haar,' zei Maria met een verlegen blik naar April.

'Dat gaat vast goed,' antwoordde April met een verlegen glimlach.

'Hoelang gaat zoiets duren?' vroeg Jurgen met een blik op zijn zakhorloge.

'Lise zei dat Pinda een paar dagen moet aansterken en op gewicht moet komen. Daarna zet ze hem uit in het wild,' legde April uit. 'Zeg alsjeblieft dat we hier kunnen blijven tot we zeker weten dat Pinda veilig is. Alsjeblieft, pap?'

'Ik moet zeggen dat ik niet echt heb nagedacht over iets anders dan jou vinden, maar aangezien we er net pas zijn…' Hij haalde zijn schouders op.

'Wat vinden de anderen ervan?'

'Svetlana zou het me nooit vergeven als ik nu wegging!' riep Jurgen uit. 'Ik wil graag blijven.'

'Ik ook,' zei Tör.

'Dan is dat geregeld. We blijven,' zei Maria. 'Chester is bij je moeder en ik hoor dat hij uitstekend gezelschap voor haar is. Hij is blijkbaar dol op appeltaart.'

Alle vijf keken ze nu naar Hedda. Die keek hen aan met haar ogen in de kleur van onweerswolken.

'Wat denken jullie nou?' zei ze. 'Ik wil het beste gedeelte niet missen! Ik blijf!'

HOOFDSTUK ZEVENENDERTIG

EEN NIEUWE DAG

Het was nog donker, maar in het kamp heerste al een gedempte bedrijvigheid. Lise was de sneeuwmobiel aan het inpakken met één heel belangrijke vracht:

Pinda.

In de drie dagen sinds April hem bij het kamp had afgeleverd had hij regelmatige voedingen met melksupplement gekregen en was hij weer aangekomen. Hij was bijna weer op krachten. Hij zat in het midden van een metalen kooi met zijn zwarte neus tegen de rand gedrukt en liet een reeks verontwaardigde geluidjes horen. Aprils hart maakte een sprongetje, want ze had hem niet meer gezien sinds ze hem bij Lise had achtergelaten, die haar had aangeraden om hem niet te bezoeken, zodat de band tussen het dier en de mens kon worden afgebouwd. Op die manier had hij de meeste kans om door een nieuwe moeder geaccepteerd te worden, al was de kans dat ze hem afstootte nog steeds groot.

Met z'n zessen, plus Lise en nog een onderzoeker, vertrokken ze op aparte sneeuwmobielen die op zonne-energie werkten. De enige afwezige was Beer. April had hem één keer in de verte gezien sinds ze aan de rand van het kamp afscheid hadden genomen, maar ze had hem al die tijd fluisterend op de hoogte gehouden van Pinda's ontwikkeling. Er zat wel een droevige kant aan zijn vooruitgang, want hoe sterker hij werd, hoe dichterbij het moment kwam dat ze opnieuw afscheid zou moeten nemen van Beer.

Ze deed haar best om daar niet al te veel aan te denken.

De kraamholen bevonden zich een stuk verder

naar het oosten, dichter bij de kust. Onderweg legde Lise uit dat de vrouwtjesijsberen hun hol in de sneeuwbanken hadden gegraven, met daarin een ovale kamer en een tunnel ernaartoe. Doordat sneeuw zo'n isolerende werking had, bleef de lichaamswarmte van de moederbeer goed hangen, zodat het kraamhol warm en knus bleef, zelfs als de temperatuur buiten tot onder het vriespunt daalde.

Na een paar uur rijden maande Lise iedereen tot stoppen. In de verte zag April de oceaan zich als een reusachtig ijsveld uitstrekken.

'We kunnen niet veilig en wel dichterbij komen,' zei Lise zachtjes, en ze gebaarde dat iedereen op zijn hurken moest gaan zitten. 'De wind blaast nu vanuit het oosten, maar als we nog dichterbij komen, zal de moeder ons kunnen ruiken en in paniek raken.'

'Waar is het hol?' vroeg April fluisterend.

Het begon al lichter te worden en Lise wees naar de voet van een berg ongeveer 200 meter van hen vandaan. Er lag een hele berg sneeuw in de luwte van een steil, uitstekend stuk rots.

'Daar is de sneeuw het diepst, wat een ideale plek is om een kraamhol te maken,' legde Lise uit.

'In tegenstelling tot andere beren, houdt de ijsbeer geen winterslaap. In plaats daarvan verlaagt de moederbeer haar lichaamstemperatuur met een graad of twee, waardoor ze minder energie nodig heeft.'

'Vandaar dat ze dus tot wel vijf maanden zonder voedsel kan!' zei April.

'Dat klopt,' zei Lise. 'En daarom is het een van de grootste uitdagingen voor de vrouwtjesijsbeer om genoeg vet op haar botten te krijgen voordat ze het hol in gaat om te werpen. Vooral nu de periodes zonder ijsvlaktes korter zijn dan vroeger.'

Hedda knikte bedachtzaam. Jurgen was druk bezig met foto's maken om naar Svetlana te sturen, en Tör en papa hielpen de andere wetenschapper met zijn meetinstrumenten voor de temperatuur. Maria had haar mouwen opgestroopt en keek wat ze kon doen om te helpen. Tot Aprils grote verrassing was Maria, ondanks de kou, dolverliefd geworden op de Noordpool. Ze vond het de mooiste plek die ze ooit had bezocht.

Lise knikte April toe.

Het was zover.

April hurkte neer zodat ze het welpje recht in zijn ogen kon kijken. 'Dit is het moment waarop we afscheid moeten nemen, kleintje.' Het leek als-of Pinda begreep dat er iets belangrijks ging ge-beuren, want hij drukte zijn pootjes tegen de rand van de kooi en stak zijn snuit naar buiten. 'Als ik heel eerlijk mag zijn, hou ik niet zo van afscheid nemen. Maar... ik wilde wel even zeggen dat ik dolblij ben dat wij elkaar hebben ontmoet. Ik had nooit gedacht dat ik zoveel van iemand anders dan Beer kon houden. Maar jij hebt me geleerd mijn hart nog verder open te stellen.'

Ze hield haar vingers naast de kooi en Pinda likte eraan.

'Dank je wel, kleine Pinda,' fluisterde ze.

April ademde diep en trillend in en knikte naar Lise, die de kooi oppakte en gebaarde dat iedereen rustig moest blijven zitten. April koos een plekje in de sneeuw tussen Tör en Hedda in. De ande-re onderzoeker bleef voor alle zekerheid met een seinpistool in de hand op wacht staan.

April keek door een verrekijker naar Lise die heel voorzichtig verder liep en om de paar pas-sen stil bleef staan voor ze weer een paar stappen waagde. Zo ging ze door tot aan de berg sneeuw, waar ze de kooi opende. April hapte naar lucht toen Pinda zijn kopje naar buiten stak.

Lise trok zich heel rustig terug op een veiliger plekje en Pinda kwam behoedzaam de kooi uit. Hij stond op de verse sneeuwlaag en snuffelde nieuwsgierig aan de lucht alsof hij een nieuw begin rook. Zo in het kale, uitgestrekte landschap leek hij zelfs nog kleiner.

Pas toen de eerste stralen zonneschijn over de horizon heen gluurden, zag April het verstoorde plekje in de sneeuw dat de ingang naar de tunnel markeerde. Dat was ongeveer vijftig meter van Pinda vandaan.

'Het hol,' mompelde ze zacht.

Alleen leek het totaal niet op een hol. Je zag alleen een heel kleine ingang. April tuurde en keek of ze enig teken van leven bespeurde. Het zou de moeder moeten zijn die naar buiten kwam, gelokt door de geur van een welpje, al had Lise ook gezegd dat die mogelijke ontmoeting niet meteen vandaag al hoefde plaats te vinden.

Pinda keek om zich heen naar de eindeloze horizon aan alle kanten.

De sneeuw bij de ingang naar het hol bewoog opeens. Er stak een zwarte neus uit. Gevolgd door twee nieuwsgierige ogen. Enorme, voorzichtige poten. De grote beer keek om zich heen en haar neus bewoog op en neer. Ze richtte haar blik op Pinda, die leek te bibberen in de koude wind.

Vlak naast April slaakte Hedda een heel diepe zucht.

Op wankele pootjes deed Pinda een stapje naar het hol toe.

De moeder wachtte bij de ingang. Ze was half binnen, half buiten.

Maar toen kwam ze naar voren. Ze strekte haar nek en boog haar kop naar het welpje toe.

April moest een hap naar lucht inslikken.

Alsof Pinda iets aanvoelde, krabbelde hij verder naar voren en hij glibberde en gleed weg op de sneeuw tot hij nog maar een paar meter van de grote beer vandaan was. De beer deed nog een stap. En nog een, tot zij vlak voor hem stond.

In de gouden golven die de zon over de sneeuw uitgoot, stak de moederbeer haar kop naar voren om Pinda van top tot teen te likken. Het was een uitnodiging om bij haar te blijven.

HOOFDSTUK ACHTENDERTIG

AFSCHEID

'Nou, Beer,' zei April. 'Ik denk dat het tijd is.'

Ze stonden aan de rand van het kamp. Ergens achter haar keken haar vader, Maria, Tör, Jurgen en Hedda toe. De sledes waren bepakt en bezakt, gereed voor vertrek, en de honden stonden in harnas en al klaar voor de reis terug naar Longyearbyen.

Haar hart begon harder te bonzen en ze voelde dat Beers hartslag ook versnelde. Ze legde haar handen aan weerszijden van zijn snuit, zodat ze elkaar in de ogen konden kijken. Zijn chocolade-bruine ogen glinsterden, smolten en stroomden over in de hare. 'We hebben al aardig wat avonturen beleefd samen, hè? Maar Pinda is nu veilig. En het wordt tijd dat jij ook weer naar veilig gebied trekt.'

Beer duwde tegen haar schouder en ze sloeg haar armen om zijn nek.

April drukte hem stevig tegen zich aan, kuste hem een paar honderd keer en toen nog een paar honderd keer. De tijd joeg, haastte zich en werd steeds korter. De minuten tikten voorbij met de snelheid van haar hartslagen.

Achter haar blaften de honden vol ongeduld.

April glimlachte. Het was de glimlach van iemand met een heel groot en fantastisch geheim. Ze kon zelfs een giechel niet onderdrukken.

'Dit is geen afscheid,' fluisterde ze, en ze sloeg haar ogen op en keek recht in die van Beer. 'Déze keer niet.'

Beer hield zijn kop schuin en keek haar vragend aan.

'Het is een tot ziens. Een ik-zie-je-gauw-weer,' vertelde ze hem in vertrouwen, en ze voelde haar maag een sprongetje maken van opwinding.

Beer had haar onmogelijk kunnen begrijpen, maar er was iets aan haar stem waardoor zijn ogen fonkelden en hij met zijn oren wiebelde.

'Want dit is waar ik thuishoor,' zei ze, en ze voelde haar hart opzwellen. 'Bij jou.'

April draaide haar gezicht naar de hemel en brulde het uit.

THUIS

April ging aan haar nieuwe tafeltje zitten. Het stond in de achterste rij, het dichtst bij het raam. In dit klaslokaal zat maar een handvol kinderen. Sommige waren hier geboren, maar de meeste kwamen net als zij uit allerlei uithoeken van de wereld. Er waren zoveel nationaliteiten dat ze meer dan twee handen nodig had om ze op haar vingers op te sommen.

De lerares kwam het lokaal binnen en keek

vriendelijk rond voor ze haar blik op April liet rusten. 'Je eerste dag op de Longyearbyenschool,' zei ze. 'De noordelijkste basisschool van de hele wereld. Ik heet je van harte welkom. Wat is je naam?'

Voordat ze antwoord gaf, keek April uit het raam. Dat was de reden dat ze dit plekje had gekozen. Hier had ze een panoramisch uitzicht op de fjord en de bergpas erachter. Ze kon Beer niet zien, maar ze wist dat hij ergens daarbuiten rondzwierf.

Hij zou er altíjd zijn, zo lang als zij hier woonde.

En ze zou hier nog een heel lange tijd blijven wonen.

Uiteindelijk was het niet eens Aprils idee geweest om op Spitsbergen te blijven. Dat had papa besloten. De avond voordat ze in Longyearbyen zouden aankomen, had hij haar terzijde genomen en haar gevraagd wat ze ervan vond om hier te blijven. Eerst dacht ze dat hij bedoelde dat ze een paar dagen langer in het kamp zouden blijven. Maar hij had zijn hoofd geschud. Hij bedoelde híér blijven, op Spitsbergen, zodat ze haar school hier kon afmaken. April hoefde niet eens antwoord te geven. Ze had haar armen om zijn nek geslagen en niet meer willen loslaten.

Er waren niet genoeg woorden in de menselijke

taal om haar dankbaarheid uit te drukken.

April had zich wel zorgen gemaakt en zich afgevraagd hoe haar vader zich zou redden als ze hier woonden. Maar met regelmatig een nieuwe voorraad anijssnoepjes zou hij zich wel redden, had hij gezegd. Vervolgens had Maria hem nogal hardnekkig op zijn schouder getikt en had papa zijn keel geschraapt, een beetje gehumd en toen verlegen opgebiecht dat hij Maria had gevraagd om ook hier te blijven, bij hen.

April kon zich geen magischer uitkomst voorstellen. Diep vanbinnen hoopte ze zelfs dat de twee misschien ooit zouden trouwen, mits zij maar bruidsmeisje mocht zijn, mét haar regenbooglaarzen.

Nadat ze weer in Longyearbyen waren, was alles ineens heel snel gegaan. Binnen enkele dagen hadden papa en Maria en Jurgen de handen ineengeslagen, en nu runden ze het hotel samen met hem. Het doel was om er een ecolodge van te maken voor toeristen – met name voor groepjes schoolkinderen – en die niet alleen te leren hoe ze het noordpoolgebied moesten beschermen, maar hun ook het gereedschap mee te geven om daar thuis actief mee aan de slag te gaan en te pleiten voor verandering. Maria was bovendien van plan om in deeltijd op de school te gaan werken en papa zou met al zijn ervaring gaan assisteren bij onderzoeksmissies om de temperatuur te meten en de weersveranderingen in kaart te brengen.

De afgelopen weken hadden ze met z'n vieren hun best gedaan om de ontvangsthal van het hotel opnieuw in te richten met felle kleuren, zodat gasten zich sneller thuis zouden voelen. Belangrijker nog (in elk geval wel voor papa) was dat hij zijn platenspeler en zijn hele Mozart-collectie

had laten opsturen. April had Jurgen ook eindelijk kunnen overhalen om Hansel over te brengen naar een plekje in zijn privévertrek. Jurgen vond het niet erg. Hij was veel te opgewonden, want voor het eerst in jaren zou Svetlana weer eens op bezoek komen. Ze kon blijkbaar niet wachten om April te ontmoeten. Zelfs Oma Appel was van plan om langs te komen. Ze mopperde wel over de temperaturen, maar het gaf haar iets te doen, want ze was nu al druk bezig om wollen truien te breien die ze voor hen zou meenemen. Gelukkig had zij Chester nog om haar gezelschap te houden, en die leek meer dan tevreden met zijn appeltaartdiners.

Zo hoog in het noorden was het leven inderdaad heel anders. Als April niet op school zat of in het hotel meewerkte, bracht ze haar vrije tijd door bij Hedda en de honden. Het was bijzonder hoe snel ze vriendschap hadden gesloten toen ze beseften dat ze aan dezelfde kant stonden. Hedda had ook haar activiteiten aangepast. Ze maakte nu geen slederitten meer met toeristen, maar werkte samen met buitenlandse bedrijven om geld in te zamelen voor de bescherming van bedreigde diersoorten.

Het allerbeste nieuws was nog wel dat Lise April had beloofd dat ze volgende zomer met haar mee mocht op expeditie! Al waren er wel een paar voorwaarden aan verbonden. Papa had er absoluut op gestaan dat April niet alleen mocht reizen en geen bevroren fjorden mocht oversteken. Ze had hem uiteindelijk toch verteld dat ze in het water was gezakt, en hij had heel wat kopjes sterke thee nodig gehad om bij te komen van de schrik.

April staarde nog steeds uit het raam en glimlachte licht. Ze zag voor zich dat Beer ergens in de verte op zijn achterpoten ging staan en steigerde als een schitterend wit paard in het zonlicht. Als ze haar hoofd ietsje schuin hield, kon ze het zwakke gebulder van zijn brul zelfs horen. Ze kwam erg in de verleiding om terug te brullen, maar ze gokte dat dat geen heel goed idee was. Niet op haar eerste dag, in elk geval. Al geloofde ze niet dat de anderen het echt erg zouden vinden. Ze waren hier allemaal anders. Zoals Hedda al zei: dat is het geschenk van de Noordpool. Hier ontdek je wie je echt bent.

'Mijn naam is April Wood,' zei ze, en ze keek de lerares glimlachend aan. 'Maar jullie mogen me Berenmeisje noemen.'

EINDE

328

NAWOORD

In 2019 begon ik een kinderboek te schrijven. Op dat moment had ik nog geen agent en was er nog niets van mij gepubliceerd. Maar ik wist, diep vanbinnen, dat er een verhaal was dat ik wilde vertellen. Een verhaal over vriendschap, liefde, hoop – maar boven alles een verhaal over hoe je iets kunt betekenen.

Dat boek werd uiteindelijk *De laatste beer*.

Als je aan het schrijven bent, heb je zo af en toe het gevoel dat je iets heel speciaals aan het vervaardigen bent. Maar ik had niet kunnen voorspellen hoezeer kinderen (en volwassenen!) van over de hele wereld Beer en April in hun harten zouden sluiten. Het is ongelooflijk ontroerend geweest om dat mee te maken.

En tegelijkertijd was er één smeekbede die ik steeds maar weer bleef horen: lezers wilden dolgraag weten hoe het verhaal verderging. Wat gebeurde er daarna?

Hoe kon ik Beer en April uit elkaar laten gaan? Zullen ze elkaar ooit nog terugzien?

Om heel eerlijk te zijn, heb ik diep in mijn hart

altijd wel geweten dat ik ooit weer zou terugkeren naar het verhaal van April en Beer. Ik kon ze niet zomaar loslaten. Het was een geweldig genoegen om weer bij hen te zijn en ik hoop dat het lezen over de hereniging van April en Beer net zo'n genot voor jullie was als voor mij om erover te schrijven.

Net als in *De laatste beer* wil ik ook hier nog even duidelijk aangeven dat het absoluut niet aan te raden is om vriendschap te sluiten met een wilde ijsbeer! Hoe knuffelig onze Beer ook is, echte beren in het wild zijn buitengewoon gevaarlijk, vooral tegenwoordig. Dat heeft te maken met alle redenen die in dit boek ook worden genoemd. Dus benader alsjeblieft nooit een wilde ijsbeer.

Zoals altijd zijn technische foutjes in de tekst geheel en al mijn eigen schuld. Ik ben een kinderboekenschrijver met een levendige fantasie, geen professionele menner van een hondenslee of onderzoeker van het noordpoolgebied.

Binnen de lijnen van het verhaal heb ik dan ook een paar artistieke vrijheden moeten nemen, waaronder de afstanden die worden afgelegd, en de locatie van sommige plaatsen. Er bestaat namelijk wel een Colesbukta of Colesbaai, maar in werkelijkheid ligt die vlak naast Longyearbyen. Mijn versie is echter een stuk groter en ligt op een meer afgelegen plek. Bekijk vooral een kaart van Spitsbergen (of zoek online naar een van de webcams) om het terrein met eigen ogen te bekijken. Het is echt een van de allerlaatste onontgonnen gebieden en een adembenemend mooie plek.

Voor dit boek was het belangrijk dat April uiteindelijk op Spitsbergen zou gaan wonen. Dat was altijd al het einde dat ik voor haar in gedachten had, dat ze zou terugkeren naar huis. Niet alleen om bij Beer te kunnen zijn, maar ook om aan de frontlinie tegen klimaatverandering te kunnen strijden. Sinds *De laatste beer* is verschenen is de situatie niet verbeterd. Sterker nog, op veel plekken, waaronder Spitsbergen, is het alleen maar erger geworden.

In *Op zoek naar Beer* wijst Hedda naar een paar gedenkplaten die plekken van voormalige gletsjers markeren. Dat idee heb ik gekregen van een reisgids toen ik voor onderzoek naar Spitsbergen ging. Hij vertelde dat zoiets op andere plekken in de wereld wel wordt gedaan. Het is angstaanjagend als je bedenkt hoe snel de aarde onder onze voeten in vrij korte tijd verandert.

Spitsbergen is zelfs een van de plekken die het hardst worden geraakt door klimaatverandering en wordt soms ook de snelst opwarmende plek ter aarde genoemd. Onder meer experts van het Poolinstituut hebben berekend dat Longyearbyen zes keer sneller opwarmt dan de gemiddelde temperatuurstijging van de aarde.

Het verdwijnen van het zee-ijs heeft gevolgen voor de ijsberen. Ze kunnen minder goed op zeehonden jagen, waardoor je steeds vaker hoort dat beren in hun wanhopige zoektocht naar voedsel de bewoonde gebieden opzoeken. Net als in het boek wordt verteld, is het smelten van het zee-ijs ook een probleem voor de moederberen en hun welpen. Sinds de jaren tachtig van de vorige eeuw is de hoeveelheid zomerijs gehalveerd en de vrees is nu dat er tegen 2035 helemaal niets meer van over zal zijn. Er is echt geen tijd meer te verliezen.

In tegenstelling tot April hoeven wij niet naar Spitsbergen af te reizen om de ijsberen te helpen. We kunnen al iets doen in onze kleine, dagelijkse handelingen, waarmee we zorgen dat ons eigen leefgebied schoner en groener wordt. Ik vertel tijdens school- en festivalbezoeken vaak dat kleine dingen ook echt een verschil maken. Stel je voor dat iedereen die dit boek heeft gelezen één ding doet. Dat zou toch een geweldige stap zijn – niet alleen voor de planeet, maar ook voor je eigen welzijn?

Sinds ik *De laatste beer* heb geschreven, ben ik er meer en meer in gaan geloven dat een echte wereldwijde aanpak niet mogelijk is zonder een heel nieuwe aanpak vanuit de overheden en grote bedrijven. Het is niet de verantwoordelijkheid van kinderen om de fouten die tot nu toe gemaakt zijn recht te zetten. Maar dat wil niet zeggen dat we helemaal niks hoeven of kunnen doen. Want zonder activisme vanuit de gewone bevolking zal er nooit iets veranderen. Wij moeten de mensen die het voor het zeggen hebben onderwijzen, aansporen en onder druk zetten om iets te doen. Dat is dan ook iets wat wij allemaal (en vooral de volwassenen die dit lezen!) kunnen doen: onderteken petities, schrijf een brief aan je wethouder, gemeente, ministerie, stem op partijen met een milieuvriendelijk beleid, zoek uit wat bedrijven, banken en pensioenfondsen met hun vermogen (en het jouwe) doen. Leer meer over de oorzaken van klimaatverandering, zodat we met z'n allen betere beslissingen kunnen nemen.

Zo af en toe móéten we het anderen, of onszelf, ongemakkelijk maken om iets gedaan te krijgen.

April droomt ervan de wereld te redden. Toen ik jonger was, droomde ik ervan om een bestsellerauteur te worden, maar er was één probleem: ik was ongelooflijk verlegen op school en vond het vreselijk om voor de klas te moeten staan en te praten. Het idee om mijn stem te laten horen met publiek erbij leek me echt doodeng.

Maar tegenwoordig droom ik er niet alleen van een bestsellerauteur te zijn. Ik heb me gerealiseerd dat het niet genoeg is om alleen maar te dromen over mijn eigen toekomst. Daarom droom ik er nu van een steentje te kunnen bijdragen, zodat we beter voor onze planeet gaan zorgen. Ik hoop dat mijn boeken enkele van de meest fantastische dieren op aarde in de schijnwerpers zetten. Ik hoop dat mijn boeken andere mensen aanmoedigen om de wereld beter te behandelen, en dat mijn boeken andere mensen inspireren om ook hun dromen na te jagen. Vooral als je ervan droomt de wereld mooier en beter te maken.

Heel eerlijk: ik geloof niet dat welke droom dan ook ooit echt doodeng of te groots kan zijn. En als het wel zo voelt, is dat een extra reden om er helemaal voor te gaan! Want soms is dat de enige manier om verandering teweeg te brengen, zowel vanbinnen als vanbuiten.

Tot slot nog een laatste ENORME BRUL bij wijze van dank je wel. Het was een geweldige reis tot nu toe en dat had ik zonder jullie allemaal niet kunnen doen. Laten we vooral doorstrijden en ons blijven inzetten. Anderen aansporen en inspireren. Laten we blijven brullen voor een betere toekomst.

Liefs,
Hannah x

GEBRUIKTE BRONNEN EN TIPS VOOR MEER INFORMATIE

Hier volgt een overzicht van enkele bronnen die ik heb gebruikt toen ik research deed voor dit boek, omdat ze mogelijk ook interessant zijn voor jou.

Polar Bears International
Een Engelstalige website over ijsberen, onder meer met webcams die je niet alleen ijsberen, maar ook het noorderlicht kunnen laten zien. Er zijn ook diverse artikelen, video's en andere informatie te vinden over de bescherming van ijsberen, de omstandigheden in het gebied en het onderzoek dat daar wordt gedaan.
www.polarbearsinternational.org

Wereld Natuur Fonds
Op de websites van het Wereld Natuur Fonds vind je meer informatie over ijsberen (en andere bedreigde diersoorten). De eerste website is Engelstalig, de tweede website bevat Nederlandstalige informatie. Wist je dat je een ijsbeer kunt adopteren?
https://www.worldwildlife.org/species/polar-bear
https://www.wwf.nl/dieren/ijsbeer

Webcam op Spitsbergen
Ook voor iedereen die niet zelf naar Spitsbergen afreist, is het mogelijk om rond te kijken op meerdere plekken van de eilandengroep. Er zijn namelijk zes verschillende webcams geplaatst die je laten zien hoe het er daar precies uitziet.
www.webkams.com/svalbard-jan-mayen/svalbard

Het Poolinstituut

Het Poolinstituut op Spitsbergen heeft een eigen website in het Noors én Engels. Er zijn veel foto's te vinden (en vergeet niet dat Spitsbergen daar Svalbard wordt genoemd) en er is meer informatie over hun werk en hun missie te vinden, en allerlei achtergrondinformatie over zowel de Noord- als de Zuidpool.
www.npolar.no

Klimaatverandering

De website van het Nederlands Jeugdinstituut legt uit wat klimaatverandering precies inhoudt en wat de gevolgen ervan zijn. Er is ook een pagina met tips en links naar diverse initiatieven van jongeren die net als April graag zelf iets willen ondernemen en willen helpen. De tweede link is voor de Engelstalige website van NASA, waar je nog meer vergelijkbare informatie vindt.
https://www.nji.nl/klimaatverandering
www.climatekids.nasa.gov/kids-guide-to-climate-change

Greenpeace

Greenpeace zet zich in om de planeet te beschermen. Bijvoorbeeld tegen bedreigingen zoals klimaatverandering, bossen die gekapt worden en dieren die sterven door plasticvervuiling. Op deze kinderpagina staan tips voor hoe jij kunt meehelpen, bijvoorbeeld door net als April een spreekbeurt te geven op school.
https://www.greenpeace.org/nl/kinderen/

Website van de auteur

Op mijn eigen website kun je nog meer informatie vinden, waaronder foto's van de reizen die ik heb gemaakt

en waarvan ik mijn ervaringen in mijn boeken heb verwerkt. Je vindt er foto's van Spitsbergen (en ook van die keer dat ik ging walvisspotten voor *De verdwenen walvis*). Ook kun je je registreren voor de (Engelstalige) nieuwsbrief, de Bear Club Newsletter, om op de hoogte te blijven van al mijn nieuws!
www.hannahgold.world

Goed doel voor het behoud van walvissen en dolfijnen
Ik ben tegenwoordig ambassadeur voor dit goede doel dat zich inzet voor het behoud van dolfijnen en walvissen. De website is Engelstalig.
https://uk.whales.org/

Hannahs leeslijstje
Hier volgen een paar websites met interessante, Engelstalige artikelen die ik voor mijn research heb geraadpleegd en die je kunt bekijken als je op de hoogte wilt blijven van het noordpoolnieuws.

Hier vind je een artikel over de holen die de ijsberen op Spitsbergen hebben, en de gevolgen van de klimaatverandering op de ijsbeerpopulatie:
www.npolar.no/en/newsarticle/where-do-polar-bears-den/

Onweer en storm zijn ongelooflijk zeldzaam in het noordpoolgebied, maar door veranderingen in het klimaat komen ze wel steeds vaker voor.
www.e360.yale.edu/digest/series-of-rare-arctic-thunder-storms-stuns-scientists

Svalbard/Spitsbergen-nieuws
Er is een weekblad dat je op de hoogte houdt van alle nieuws in Spitsbergen:
www.icepeople.net

Boeken die me hebben geholpen bij mijn research voor de verhalen over Beer:
My World is Melting – Line Nagell Ylvisåker
A Woman in The Polar Night – Christiane Ritter
Spitsbergen – Svalbard: A Complete Guide Around the Arctic Archipelago – Rolf Stange

Tot slot nog enkele Nederlandstalige websites, speciaal voor onze lezers hier:

Informatie over de geschiedenis van Spitsbergen, maar ook nieuws en webcams:
https://www.spitsbergen-svalbard.nl/index.html

Informatie over ijsberen en andere pooldieren (en de mogelijkheid een reis te boeken):
https://oceanwide-expeditions.com/nl/activiteiten/dieren/ijsbeer

Een blog uit 2019 van Jon Aars van het Norwegian Polar Institute (NPI) die in samenwerking met WWF meewerkte aan het IJsberen monitoring project in Spitsbergen:
https://www.wwf.nl/wat-we-doen/actueel/nieuws/ijsberen-monitoring

Recent nieuwsbericht over de gletsjers van Groenland, die nog sneller smelten dan werd gedacht: (Nieuwsbericht van november 2023.)
https://www.nu.nl/klimaat/6288735/gletsjers-op-groenland-smelten-nog-sneller-dan-gedacht.html

DANKWOORD

Zoals altijd is een boek schrijven nooit iets wat je helemaal in je eentje doet, dus een hartelijk dank aan iedereen die me hierbij heeft geholpen en gesteund.

Dank aan mijn redacteur, Lucy Rogers, voor je passie en liefde voor alles wat met Beer te maken heeft. Je hebt zo hard gewerkt om allerlei versies door te lezen en suggesties te doen voordat je je eigen kleine welpje op de wereld hebt gezet, en daar ben ik je ontzettend dankbaar voor. Aan Megan Reid voor de professionele manier waarop je de laatste stappen van het proces hebt vormgegeven en het eindeloze geduld waarmee je e-mails van mij hebt beantwoord. En last but not least, aan Nick Lake, die álles al vanaf het begin vol visie en liefde heeft begeleid.

Een dikke dank jullie wel voor het héle team van HarperCollins Children's Books, want jullie hebben mijn uitgeefavontuur tot een geweldige ervaring gemaakt! Bedankt Cally Poplak, Alex Cowan, Laura Hutchison, Kirsty Bradbury, Val Brathwaite, Geraldine Stroud, Elorine Grant,

Kate Clarke, Hannah Marshall, Carla Alonzi, Victoria Boodle, Jasmeet Fyfe, Jane Baldock, Aisling Beddy en Charlotte Crawford. En, zoals altijd, een speciaal dank je wel aan mijn publiciteitsagent, Tina Mories.

Tevens bedankt Harriet Wilson en Erica Sussman in de Verenigde Staten.

Dank aan mijn agent, Claire Wilson, omdat je me aanmoedigde mijn instincten te vertrouwen en altijd voor me klaarstond. En ook aan de lieftallige Safae El-Ouahabi van RCW.

Levi Pinfold – woorden kunnen mijn dank nooit genoeg uitdrukken, maar dank je wel dat je mijn werk er zo adembenemend mooi uit hebt laten zien, vanbinnen en vanbuiten. Zonder jou zou Beer niet Beer zijn! Bedankt ook Tamlyn Francis, Levi's agent.

Onmetelijk veel dank aan Florentyna Martin, die me de avond van mijn leven gaf toen ik de Waterstones Children's Book Prize won. En aan alle boekverkopers van Waterstones in het hele land die mijn boeken hebben omarmd.

Mijn dank gaat ook uit naar alle zelfstandige boekhandels. Jullie moedigen mijn boeken al heel lang aan en jullie zijn echt de stralende sterren van de winkelstraten.

Aan al mijn buitenlandse uitgevers en lezers – jullie hebben me laten zien dat verhalen over liefde en hoop nooit grenzen kennen.

Dank aan alle festivalorganisaties (in dit land en in het buitenland) die me hebben uitgenodigd om mijn verhaal te doen over beren en walvissen en me hebben laten berenbrullen.

Aan Nicolette Jones en Alex O'Connell – die allebei *De laatste beer* verkozen tot hun *The Times*-boek van de week. Hoera! Dank je wel ook aan Amanda Craig, Kitty Empire, Sarah Webb, Fiona Noble en Sally Morris dat jullie zo goed opkomen voor de kinderliteratuur.

Ik geloof niet dat *De laatste beer* ook maar half zoveel kinderen had bereikt zonder de geweldige fantasie en inzet van basisschoolleerkrachten. Ik sta er nog steeds versteld van op welke manieren jullie mijn boeken in de les inzetten! Een megabrul voor jullie ALLEMAAL. (En een speciaal dank je wel aan Rich Simpson, die een gratis kaartje voor *Matilda* aan me doneerde!)

Dank je wel Books4Topics, Empathy Lab, BookTrust, ReadingZone, World Book Day en alle andere hardwerkende mensen die de kinderboekenwereld tot zo'n magische plek maken. Dat geldt ook voor alle onvermoeibare boekbloggers en booktokkers.

DIKKE DANK JE WEL aan iedereen die stemde om *De laatste beer* diverse prijzen te laten winnen, waaronder de Blue Peter Book Award, de Sheffield, Stockport, St Helens Book Awards en de Cowbell Award in Zwitserland. Ik ben zo blij dat jullie voor mij hebben gekozen!

Aan mijn schrijversvrienden. Ik durf hier geen namen te noemen, want ik weet gewoon dat ik dan iemand oversla en me daar maandenlang schuldig over blijf voelen. Maar jullie zijn allemaal zo getalenteerd en lief en grappig en gul. Heel veel liefs voor jullie allemaal.

Bij wijze van research voor dit boek ben ik afgereisd naar Spitsbergen/Svalbard. Een enorm dank je wel aan Tommy van Arctic Husky Travellers die talloze huskyvragen heeft beantwoord, en aan Natalie van Café Husky voor haar hartelijke welkom.

Dr. Huw Lewis-Jones – kinderboekenschrijver én een echte noordpoolonderzoeker – verdient alle eer voor het controleren van de feiten van het verhaal. Net als Alison Bond, die een heel vroege kladversie van het verhaal heeft gelezen, maar vooral ook omdat ze mijn beste vriendin is.

Dank aan mijn familie en gezin die nog twee jaar langer naar al mijn ijsberenverhalen moesten luisteren. Mijn dierbare vrienden en mijn man, Chris, die mijn allergrootste steun is en die al bij me is sinds ver voordat Beer een fonkeling in mijn ogen werd. Ik vind het geweldig om deze reis met jou te mogen delen.

En ten slotte, als je het helemaal gehaald hebt tot aan het einde van dit epische dankwoord (ik blijf maar zeggen dat ik zal proberen om het in mijn volgende boek korter te houden), een heel groot dank je wel aan jullie, mijn lezers.

Het allerbeste onderdeel van het kinderboekenschrijversleven, zijn niet eens de recensies of prijzen, hoe geweldig ook, maar dat zijn JULLIE. Jullie energie, jullie vragen, jullie tekeningen en brieven, jullie enthousiasme, jullie berenbrullen en boven alles jullie verlangen om van de wereld een betere, vriendelijkere plek te maken voor mensen én dieren.

Dit boek was altijd al voor jullie en ik hoop dat de hereniging van April en Beer jullie alles heeft gegeven waar je op hoopte, en meer.